Pour Hannah

Dominique Henry

Pour Hannah

Éditions de Noyelles

Éditions de Noyelles,
avec l'autorisation des Éditions Nouvelles Plumes

123, boulevard de Grenelle, Paris

© Éditions Nouvelles Plumes, 2016.

ISBN : 978-2-298-10867-5

À tous ceux qui, quels que soient leur âge,
sexe, race ou religion,
ont été victimes de la barbarie humaine
au nom d'un quelconque fanatisme
politique ou religieux.

À Charlie, Sarah, Yvonne, Olga, David, Simon,
Trudy, Bice, Roberto, Giorgio, Piera, Simone, Tadeuz,
Élie, Édith, Regina, Jozef, Jehuda,
Maria-Luisa, Paolo, Giorgina, Ettore, Suzanne,
Alfred, André, Hannah, Kitty...
...et tous les autres.

6 mai 1968

Se faufiler parmi les manifestants. Ne pas se laisser piétiner par la foule. Accélérer le pas pour arriver la première. Elle veut voir l'homme avant qu'il ne l'identifie. Pour le jauger. Estimer s'il est digne de confiance. Martha pense qu'il l'est. C'est pour ça qu'elle a accepté de le rencontrer. Mais elle reste méfiante. Un Allemand, a-t-elle dit. Il a des révélations à faire. À propos de la guerre. C'est justement ce qu'elle tente d'oublier. Auschwitz[1] lui a tout pris. Sa famille. Son identité.

Et maintenant, un inconnu ose venir perturber l'équilibre qu'elle a mis plus de vingt ans à trouver.

Est-ce un hasard si le rendez-vous a été fixé près de Saint-Lazare en pleine manifestation étudiante ?

La vie lui a appris à se méfier de tout. Un peu trop peut-être. Mais qui pourrait l'en blâmer ?

Plus qu'une rue et elle sera face au café du rendez-vous. L'horloge de la gare affiche quinze heures trente. Elle a

---

1. Se trouve entre Cracovie et Katowice dans une région rattachée à la Haute-Silésie. Le projet de sa mise en place remonte à 1940 comme en atteste un rapport de la direction générale SS du 25 janvier 1940. Pendant l'été 1941, Rudolf Höss reçoit d'Himmler l'ordre d'aménager son camp en vue de « la solution finale pour la question juive ». En octobre 1941 commence à trois kilomètres au NO du camp central (Stammlager) la construction d'un complexe de dimension phénoménale : 250 baraques (blocks) pouvant contenir 200 000 déportés. Deux maisons de paysans qui subsistaient du village polonais seront aménagées en chambres à gaz. Cette annexe prendra le nom de Birkenau.

une bonne demi-heure d'avance. Espérons qu'il n'est pas déjà là. Un rapide coup d'œil à la terrasse la rassure. Elle s'installe non loin, sur un banc d'où elle pourra surveiller l'entrée du café. Elle lève la tête vers le ciel azur, inspire profondément comme si elle s'apprêtait à plonger dans une piscine, et ferme les yeux.

« *Allez, mon vieux, viens maintenant. Je suis prête. Je t'attends.* »

1

4 juillet 1943

Aujourd'hui après la séance, on nous a laissées seules au block[1] 10. Nous étions cinq. Trois de moins qu'hier. Chaque jour, certaines d'entre nous périssent sur la table. Ça ne leur pose pas de problèmes. Quotidiennement, des convois arrivent avec à leurs bords des centaines de nouveaux sujets potentiels pour leurs expérimentations. Parfois, je les vois aller faire leur marché parmi les nouvelles arrivantes. Des femmes juives ou tziganes, âgées de vingt à quarante ans, mères d'un ou plusieurs enfants : voilà ce qu'ils recherchent.

Ce matin, le docteur Clauberg[2] m'a injecté une solution dans l'utérus. Comme hier, j'ai été parcourue par une violente douleur avant même qu'il n'ait eu le temps de retirer la seringue. Je brûlais de l'intérieur comme si mes organes étaient rongés par de l'acide. Mon cœur s'est mis à cogner si fort que j'ai cru qu'il allait exploser. Le supplice était tel que je n'ai pu retenir un hurlement. Ce cri de

---

1. Baraquement.
2. À Auschwitz, il mena de nombreuses expériences sur les femmes détenues visant à trouver un moyen de les stériliser. Insensible aux pertes humaines, les déportations lui apportent chaque jour de nouveaux cobayes pour ses expérimentations. Arrêté par les alliés en 1945, il sera jugé et condamné en 1948 en URSS mais il rentrera libre en RFA en 1955. Arrêté au mois de novembre de la même année à la suite d'une plainte déposée par une association juive, il décédera en août 1957 quelques semaines avant son procès.

bête que l'on tente d'abattre l'a agacé et il m'a envoyé un solide coup de poing sur le visage pour me faire taire. Ensuite, c'est le trou noir. J'ai dû perdre connaissance. Quand j'ai repris mes esprits, il était parti. Sous mes côtes, le battement reprenait péniblement sa cadence habituelle. J'avais survécu. Encore une fois. La jeune femme allongée à ma droite n'a pas eu cette chance. J'ai parcouru la pièce du regard. Nous étions seules. Il devait nous croire toutes mortes.

Je m'apprêtais à vérifier si mes jambes répondaient toujours quand quelqu'un est entré. Pas un SS ni un médecin : un kapo[1]. Je ne l'avais jamais vu auparavant. Dans un coin de la salle, il a déposé un carton puis est ressorti sans même avoir porté un regard sur nous. J'ai attendu. Plus personne ne venait. Péniblement, je me suis hissée sur mes avant-bras et, malgré la douleur toujours présente en moi, je suis parvenue à me mettre debout. Je me suis approchée du carton. La faim, mon inséparable compagne, me guidait. Il y avait peu de chance pour que quelque chose de comestible se cache à l'intérieur mais, au milieu des fioles remplies d'acides, j'espérais trouver une solution glucosée ou n'importe quoi d'autre qui puisse, pour un instant, calmer mon estomac. J'ai jeté un œil du côté de la porte puis, fébrilement, j'ai tenté de détacher l'adhésif. Avec mes ongles, je grattais le carton mais rien ne lâchait. J'avais mal, j'avais faim et l'énervement a pris le dessus. Le bout de mes doigts devenait rouge à mesure que mes ongles s'effritaient sur l'objet de mes convoitises. Soudain, comme par miracle, j'ai vu briller le bistouri oublié sur la table des instruments. Je me suis prestement emparée de l'objet pour découper l'adhésif et j'ai enfin pu soulever le dessus du carton. L'excitation

---

1. Détenu responsable d'un kommando. Il porte un brassard avec un « c » indiquant son rôle. Suivant la taille du groupe, il pouvait y avoir des ober-kapo et under-kapo.

était à son comble quand j'en ai découvert le contenu. Hélas pour moi, il ne renfermait que de simples carnets. Aucun sérum, aucune seringue, pas de trace de matériel expérimental. Uniquement des carnets. Semblables à celui qui ne quitte jamais la blouse de mon bourreau. Déçue par ces efforts inutiles, j'en ai profité pour m'en organiser[1] un avec quelques crayons. Mon cœur battait la chamade tellement j'avais peur qu'il ne s'en aperçoive. J'ai réussi à le dissimuler sous ma blouse et suis parvenue à le ramener jusqu'à l'endroit où ils nous entassent. J'avais agi par instinct. Sans savoir pourquoi je volais ce carnet. Pour braver l'interdit sans doute, résister à ma manière à leurs atrocités. Ce n'est que bien plus tard quand, allongée sur ma paillasse j'essayais entre deux vomissements d'oublier la douleur qui faisait toujours rage dans mes entrailles, que j'ai décidé d'en faire mon journal. J'allais y consigner tout ce que je subirais, tout ce que je ressentirais. Pour m'aider à ne pas devenir folle. Pour tenir. Jusqu'au bout. Car il faut survivre. Pour les garçons. Pour Hannah. Pour conserver un peu de dignité, d'humanité, d'espoir.

Je m'appelle Sarah Lindbergh, j'ai 29 ans et je suis Juive. Je me suis fait arrêter à Paris le 15 mai 1943 avec mon mari et mes deux fils. Après plusieurs semaines à Drancy, nous sommes arrivés au camp d'Auschwitz par le convoi n° 55.

---

1. Dans le langage du camp, cela signifiait voler quelque chose.

2

Josef Meyer se souvenait très bien de la première fois où il avait rencontré Hermann Schüller. C'était peu après son arrivée dans cet endroit qu'il a toujours eu beaucoup de mal à nommer tant ce qu'il y découvrit dépassait l'entendement.

Un matin d'avril 1943. Le 9 exactement. Il faisait beau ce jour-là. Pas un nuage et un magnifique soleil printanier inondait la ville d'une lumière blanche et douce. Pour un peu, on aurait même pu entendre les oiseaux chanter. Si tant est qu'ils en aient eu encore envie.

Le temps. C'était bien la seule chose agréable. Comme pour tenter d'apporter un peu de bonheur et d'humanité à leur quotidien. Il suffisait, hélas, de baisser légèrement les yeux pour que tout redevienne gris, noir, horreur et damnation. Et encore Josef Meyer avait de la chance : il restait à l'extérieur. Là où tout était encore supportable. Mais là-bas, à quelques centaines de mètres à peine, derrière ces murs et barbelés... C'était leur aire de jeux. L'arène. Le centre de mise à mort. Et comme pour prouver aux internés leur volonté de les aliéner tous, ils

avaient eu l'audace d'ajouter cette inscription à l'entrée :
« *Arbeit macht frei.* »[1]

Pour qui avait-elle été installée ? Les détenus ? Parce que seule la mort pouvait leur rendre leur liberté. Ou les SS ? Pour les assurer du bien-fondé de leur action. Leur donner bonne conscience. On n'était pas à une manipulation près. Josef Meyer a beaucoup médité là-dessus à l'époque. Les entretiens qu'il menait avec les soldats allemands l'ont d'ailleurs aidé à en apprécier la portée. Et celui qui en avait ordonné l'installation, à Dachau d'abord, et Auschwitz ensuite, était loin d'être fou. Des fous justement, en tant que psychiatre, Josef Meyer en avait rencontré quelques-uns avant son arrivée. Mais là, c'était à une autre espèce d'êtres humains qu'il était confronté. Devant lui allait se jouer un spectacle des plus cruels et horribles que l'homme pouvait mettre en place mais ceux qui en étaient les principaux protagonistes ne pouvaient se cacher derrière une étiquette de fou.

Hermann Schüller n'en était pas un lui non plus. Il faisait même partie de ceux qui l'étaient le moins. Si Josef Meyer se souvenait avec autant de précision de leur rencontre, c'est que les événements le touchèrent personnellement, ce jour-là et devaient radicalement changer le cours de son existence à tout jamais.

La nouvelle arriva peu avant qu'il ne prenne son service du matin. Par courrier. Rudolf Höss[2] le lui avait apporté lui-même alors qu'il s'apprêtait à quitter ses quartiers. Le message provenait de l'hôpital civil de Berlin. Des sueurs

---

1. « Le travail rend libre. » C'est Rudolf Höss qui ordonna l'installation de cette pancarte d'abord à Dachau et par la suite à l'entrée d'Auschwitz.
2. Commandant du camp d'Auschwitz. Il joua un rôle de premier plan dans le génocide des Juifs, notamment avec l'introduction du zyklon B dans les chambres à gaz et la construction de nouveaux crématoires dans le but d'augmenter les capacités d'extermination du camp.

18

froides lui traversèrent instantanément le corps. Il avait compris. Il ne pouvait s'agir que de quelque chose de personnel. Il crut défaillir. Subitement sa poitrine en proie à de fortes palpitations lui martela le cœur. Ses mains se mirent instinctivement à trembler. Ses jambes ne le portaient plus. Il remercia le lieutenant-colonel[1] puis il eut une pensée pour sa femme. *Qu'est-il arrivé, Angela ? Dis-moi que tout va bien.* Sur le papier blanc, il avait reconnu le tampon de l'hôpital dans lequel il avait exercé durant de nombreuses années avant d'arriver en Pologne. Par le passé, il avait lui aussi utilisé ce type d'enveloppe à une ou deux reprises. Il savait pour quelles occasions on les réservait. Il en retira fébrilement le carton et les mots apparurent enfin...

« *Monsieur, votre fille Lily Meyer est décédée cette nuit à 3 h 46 des suites de la tuberculose. Sincères condoléances.* »

Il lâcha le courrier et se laissa tomber sur sa chaise. Glacé jusqu'au sang, il prit sa tête entre ses mains comme pour l'empêcher d'exploser. Il avait envie de hurler. Peut-être l'a-t-il fait d'ailleurs. Il aura besoin d'y croire. Comment aurait-il pu la laisser partir sans rien dire ? Sans lui dire au revoir.

La guerre lui aura aussi pris ça.

Il était là, assis derrière son bureau, figé, le regard dans le vide avec cet immense chagrin qui ne pouvait sortir. Il ne saurait dire combien de temps il resta ainsi. Immobile. Tout ce qui se passait autour de lui n'avait soudain plus aucune importance. Il venait de perdre l'être qu'il avait de plus cher et il ne pouvait laisser son chagrin s'exprimer.

---

1. *SS-Obersturmbannführer* : officier SS commandant de camp.

C'est ce moment que choisit Hermann Schüller pour entrer dans son bureau. Pour Josef Meyer, le premier contact après le chaos.

— *Heil Hitler* ! J'ai reçu l'ordre de me présenter à vous, commença le soldat sans attendre de réponse à son salut.

Le psychiatre ne remarqua pas sa présence et ne l'entendit pas non plus.

— Caporal-chef[1] Schüller, j'ai ordre de vous rencontrer ce matin, répéta-t-il beaucoup plus fort.

— Heu… Excusez-moi. Veuillez vous asseoir.

Le soldat prit place face au psychiatre. Droit comme un i, il attendait que l'entretien commence, son regard profond et dur fixé sur le médecin.

Ils restèrent ainsi un long moment. Immobiles et silencieux. Meyer était ailleurs. À Berlin, avec les siens. Ceux qu'il n'aurait probablement jamais quittés sans cette maudite guerre.

Aucune larme ne parvint à ses yeux. Il était entraîné pour ne pas pleurer, ne pas avoir de sentiments, être un roc impassible.

Extérieurement, il était calme et serein. À l'intérieur, ce n'était que champ de ruines. Il eut honte de ne pas être capable de pleurer pour sa petite fille. Honte de ne pas pouvoir exprimer son chagrin. Honte de ne pas être avec elles. Sa femme, son enfant et la mort.

Puis soudainement, après de longues minutes de combat intérieur, il leva les yeux vers cet homme étranger à sa douleur.

— Je vous prie de revenir demain, même heure. Je dois m'absenter, excusez-moi, prononça-t-il sans laisser transparaître la moindre émotion.

---

1. *SS-Rottenführer.*

Inébranlable, Schüller se leva, tendit son bras vers le médecin pour le saluer et, sortit reprendre ses activités habituelles. Josef Meyer passa le reste de la journée seul à errer dans sa villa prétextant des maux de ventre. Il ne se sentait capable de rien et se fichait complètement de ce qui pouvait lui arriver. Ses supérieurs n'avaient qu'à punir son attitude et son absence à son poste, il n'en avait que faire. Plus rien ne pouvait l'atteindre. Le pire était déjà arrivé.

3

5 juillet 1943

Probablement personne ne lira jamais ce carnet. Mais si un jour quelqu'un venait à mettre la main dessus, je voudrais qu'il sache combien nous avons été heureux avant tout ça. Incroyablement heureux.

C'est à toi que je pense, Hannah. À aucun moment depuis notre séparation ton visage n'a quitté mon esprit. Je t'imagine gigotant dans la jolie barboteuse blanche que je t'avais fait broder par une grande maison parisienne. Je tends mes bras vers toi et aussitôt ton joli minois s'illumine, me gratifiant d'un de ces sourires auxquels aucune mère ne peut résister.

J'ai peur de ne pas survivre assez longtemps pour te serrer à nouveau contre mon cœur. La seule chose que j'ai comprise depuis mon arrivée, c'est que notre vie leur importe peu. La mort frappe des centaines de gens chaque jour et seuls les plus résistants parviennent à lui échapper. Je lutte pour faire partie de ceux-là. Ton père et tes frères sont prisonniers au camp eux aussi, mais nous sommes tous séparés. Les familles le sont systématiquement dès leur descente des convois. Mais rassure-toi, nous sommes en vie.

6 juillet 1943

Si pour toi, Hannah, ou pour quelqu'un d'autre, ce carnet doit un jour servir de témoignage, je dois tout reprendre depuis le début.

Lorsque les portes du train dans lequel nous venions de passer quatre jours et quatre nuits, entassés comme des bêtes, se sont ouvertes, j'ai cru que le plus dur était passé. On nous avait fait embarquer en gare de Bobigny dans des wagons à bestiaux dépourvus de fenêtres. Seule une petite ouverture permettait une entrée d'air malheureusement insuffisante pour rafraîchir l'atmosphère suffocante de l'intérieur. Nous étions une soixantaine, agglutinés les uns contre les autres. Sur le sol recouvert de paille, les provisions déposées pour le voyage côtoyaient la cuve qui faisait office de toilettes. Cependant, nous avions tellement soif que l'appétit nous faisait défaut. Le manque de place nous forçait à rester debout dans la chaleur torride. Plusieurs personnes sont tombées inanimées. Corps que les plus costauds d'entre nous empilèrent dans un coin du wagon. Pour ma part, avoir à faire mes besoins dans ce seau devant tout le monde fut une terrible épreuve. Quelques hommes s'étaient positionnés en cercle avec des manteaux pour tenter de nous préserver un peu d'intimité pendant que nous nous soulagions mais l'humiliation fut la pire de toute ma vie. Du moins jusque-là. De temps à autre, le train s'arrêtait et les soldats allemands demandaient à l'un d'entre nous d'aller vider notre seau fétide et de ramener un peu d'eau fraîche que nous nous arrachions immédiatement. La situation abominable dans laquelle nous étions plongés poussa des hommes à en venir aux mains. De nombreuses personnes périrent. Nous étions entourés de cris, de pleurs, de cadavres et d'immondices. Avec ton père, nous avons fait notre possible pour protéger tes frères de ce chaos. Éli était malade et a même vomi à deux ou trois reprises. Il a toujours été le plus fragile des deux.

Moshe n'a pratiquement pas dit un mot du trajet. *Aba*[1] l'a gardé le visage tourné contre lui pour lui épargner la vision d'horreur qui s'étalait impudiquement devant nos yeux. Mais ils étaient choqués. Comment auraient-ils pu ne pas l'être d'ailleurs ? Alors, quand au bout de quatre jours, des hommes en costume rayé ont enfin poussé les portes du wagon, j'ai laissé échapper un soupir de soulagement.

J'ignorais que le pire était à venir.

---

1. Papa en hébreu.

4

Hermann Schüller arriva à huit heures le lendemain matin avec la ponctualité digne d'un officier SS des plus zélés.

— *Heil Hitler* !

— *Heil Hitler* !

— Nous devions nous voir hier et... commença-t-il en abaissant son bras tendu.

— Oui. Entrez, asseyez-vous.

La terrible nouvelle de la veille lui tordait toujours les boyaux, mais Josef Meyer savait que pour ne pas devenir fou, il lui fallait reprendre ses occupations habituelles comme si rien ne s'était passé. Et pour sa première consultation dans l'ouragan affectif qui le dévastait, il fut servi.

Hermann Schüller était le prototype vivant du parfait Aryen. Si Hitler s'est inspiré de quelqu'un pour définir les critères du programme *Lebensborn*[1] c'est probablement d'un type comme lui. Un physique impressionnant doté d'une très grande taille avoisinant les deux mètres avec une

---

1. De 1935 à 1945, programme nazi visant à créer une race supérieure. Des femmes allemandes sélectionnées étaient fécondées par des hommes allemands eux aussi triés sur le volet selon les critères de la race aryenne pour donner naissance, dans d'immenses maternités, à des bébés aryens qui, très tôt retirés à leurs mères, étaient élevés par les nazis.

large carrure d'athlète, une imposante mâchoire carrée et un profond regard azur. Le gaillard était remarquable. Beaucoup de personnes sont passées dans le service de Josef Meyer à cette époque mais dès la première seconde, cet homme l'a fasciné. Ou plutôt intrigué. Jusqu'à ce jour, il avait pourtant côtoyé un certain nombre de personnalités et de profils des plus complexes, mais Schüller avait quelque chose qu'il n'avait encore jamais rencontré. Quand il est entré dans le bureau du médecin ce fameux matin, il est arrivé d'un pas décidé et sûr. Le pas de quelqu'un qui sait parfaitement ce qu'il fait et où il va. Sa prestance, son charisme. Meyer était subjugué par l'assurance qui émanait de cet homme. Il était jeune. Vingt, vingt-cinq ans tout au plus et malgré cela, c'était quelqu'un qui en imposait. Il mettait très vite mal à l'aise. Il paraissait calme et sûr de lui. Visiblement fier d'appartenir à la race supérieure des « Aryens », il contribuait activement à l'élimination des peuples inférieurs. Une véritable machine à tuer. En d'autres circonstances, Meyer aurait probablement éprouvé de la crainte face à un tel homme.

Il commença l'entretien comme il le faisait avec tous les autres caporaux-chefs. La première séance devait lui apprendre depuis combien de temps ils étaient à Auschwitz, de quelles unités ils avaient été détachés et dans quel contexte s'étaient faites leurs mutations. Le psychiatre devait aussi tenter de comprendre quels genres de rapports ils entretenaient avec leurs familles pour repérer ceux susceptibles de divulguer la réalité du camp. Aidé de son secrétaire, il consignait scrupuleusement toutes ces informations dans des dossiers de couleurs différentes qui allaient servir de base à son travail. Le rouge était consacré aux soldats les plus zélés, l'orange pour ceux présentant une certaine fragilité psychologique, le vert rassemblait les plus malléables, ceux qui avaient le plus d'empathie, et enfin le bleu regroupait tous les autres. Dès les premières minutes, il ne fit aucun doute qu'Hermann Schüller serait classé parmi les dossiers rouges.

Il venait d'être transféré au *Stammlager*[1]. Après son engagement dans la Waffen[2], il avait exercé une année comme comptable dans une administration. Un ordre était alors arrivé : « Tous les SS aptes et en bonne santé travaillant dans l'administration devaient laisser leurs places aux invalides revenant du front et être affectés à d'autres tâches. » Schüller expliqua comment cette nouvelle l'avait enthousiasmé. Il avait vu là un moyen de prendre une part plus active dans le combat que menait son pays contre la vermine juive. Il s'était alors présenté aux bureaux d'un bel immeuble de la capitale pour savoir ce que l'on attendait de lui. Avec quelques autres, ils furent reçus par des gradés dans une grande salle de conférence où ils renouvelèrent le serment qu'ils avaient prêté en entrant dans la Waffen. On leur rappela aussi que les ordres devaient être exécutés en confiance et sans discussion.

— J'étais fier de participer à une mission de cette envergure même si au fond de moi, je regrettais de ne pouvoir partager la nouvelle avec mon père.

— Que lui avez-vous dit à propos de votre affectation ?

— Exactement ce qu'on nous a expliqué à Berlin. Que j'allais être rattaché à un régiment près du front de l'Est pour une mission de la plus haute importance classée top secret.

— A-t-il cherché à en savoir plus ?

— Non. C'est quelqu'un de très respectueux du parti et des ordres. Mais je sais qu'il est impressionné.

---

1. En novembre 1943, le camp est divisé en trois parties. Auschwitz I devient le Stammlager, le camp souche. Birkenau sera Auschwitz II et sera composé d'un centre d'extermination et d'un camp de travail forcé. Monowitz sera Auschwitz III sur lequel sera située l'usine *IG Farben* où de nombreux détenus iront travailler dans des conditions inhumaines.
2. Branche militaire de la *Schutzstaffel* (SS).

— Est-il membre du NSDAP[1] ?

Schüller s'enfonça un peu plus profondément dans sa chaise, alluma une cigarette et après en avoir aspiré une longue bouffée, continua :

— Comme beaucoup d'Allemands, mon père s'est senti profondément humilié par le traité de Versailles mais, quand en 29, son entreprise a fait faillite, ça a été le coup de grâce. Ne sachant alors à quel saint se vouer, il a rejoint la *Stahlhelm*[2]. Avec la victoire d'Hitler en 33, je l'ai enfin vu reprendre confiance en l'avenir.

— Comment cela se traduisait-il ?

— Je ne sais pas trop comment l'expliquer. Il allait mieux. Il était satisfait de constater qu'en seulement six mois de pouvoir, le parti avait réussi à redonner du travail à chacun. « Envolés les cinq millions de chômeurs ! » répétait-il sans cesse.

— Lui aussi avait retrouvé un emploi ?

— Meilleur que le précédent. Et quand, trois ans après, Hitler est entré en Rhénanie, mon père était si heureux que pour fêter l'événement dignement, il a débouché une de ses bouteilles de vin qu'il réserve pour les grandes occasions.

— Vous partagiez son bonheur ?

— Oui, bien sûr. Et ça m'a donné encore plus envie d'en être. De participer à la gloire de l'Allemagne, protéger mon pays des dégénérés qui tentent de le corrompre.

— À quoi rêviez-vous petit ?

— Je voulais être comme mon grand-père. Il a servi dans un régiment d'élite du duché de Brunswick en 14. J'aimais regarder les photographies de lui en uniforme que

---

1. Parti national socialiste des travailleurs allemands souvent appelé Parti Nazi.
2. Casque d'acier : mouvement de droite ultra-nationaliste ; une des nombreuses organisations qui virent le jour après l'humiliation du traité de Versailles.

gardait ma mère. Souvent je jouais dans ma chambre en me prenant pour lui. Je faisais fuir l'ennemi.

— Il était votre héros.

— C'est pour être comme lui que j'ai voulu entrer dans les *Scharnhorst*[1]. On portait des pantalons gris de soldat et une casquette. J'avais enfin ma place. Je commençais à lui ressembler. J'étais convaincu que j'allais œuvrer pour servir mon pays.

— Vous faisiez quoi exactement ?

— Pas grand-chose, en réalité. Mais tout a changé quand je suis entré dans les *Hitlerjugend*[2]. Nous avions des uniformes semblables à ceux du parti nazi. Qu'est-ce qu'on était fier ! Et puis surtout, on avait une vraie fonction ! Outre les entraînements quotidiens, j'ai aidé l'Allemagne à se débarrasser des cultures étrangères nocives pour notre nation. Nous avons brûlé tous les livres écrits par les Juifs et autres *Untermenschen*[3] qui cherchaient à nous gangrener.

— Et depuis votre arrivée ici, caporal-chef, votre action pour le Reich s'est encore amplifiée. Comment le vivez-vous ?

Le visage de Schüller s'assombrit d'un coup. Il s'approcha du bureau de Meyer et y écrasa sa cigarette.

— Sauf votre respect, *Doktor*, je ne comprends pas le but de notre entretien. J'ai commis une erreur ? Que cherchez-vous exactement ? À me piéger ?

— Calmez-vous ! Je ne fais que m'assurer que tout va bien pour vous. Himmler[4] m'a envoyé ici pour vous rendre

---

1. Mouvement de jeunesse du Stahlhelm.
2. Jeunesses hitlériennes.
3. Sous-hommes.
4. *SS-Reichführer*. C'est un des plus hauts dignitaires nazis. Il est maître de la SS, chef de la Gestapo, puis à partir de 1943, ministre de l'Intérieur du Reich. Il porte la lourde responsabilité du génocide. C'est de lui que dépendaient l'administration des camps et la mise en œuvre de la solution finale. Il se suicide en mai 1945 pour échapper au jugement.

la vie agréable. Vous pouvez me parler de vos soucis quotidiens pour qu'ensemble, nous trouvions des solutions.

— Eh bien rassurez-vous, tout va bien.

Il jeta un rapide coup d'œil à sa montre et lança :

— Dix minutes d'entretien, c'est bien ce qui était prévu, non ?

Josef Meyer acquiesça, surpris par la soudaine agressivité de son interlocuteur.

Le soldat se leva et s'apprêtait à quitter la pièce quand, arrivé au niveau de l'encadrement de porte, il se retourna et sur un air de défi, ajouta :

— Vous avez raison. Il y a un problème ici, *Doktor* : l'odeur. Si vous pouvez faire quelque chose contre la pestilence ambiante qui règne dans le camp, vous pourrez être content de vous. Sur ce, bonne journée.

Il fit claquer ses talons l'un contre l'autre, tendit son bras devant lui, et sans lâcher le regard du médecin lui adressa un *Heil Hitler* des plus agressifs.

5

7 juillet 1943

D'aussi loin que je me souvienne, Isaac a toujours fait partie de ma vie. À cinq ans, nous partagions jeux, bêtises et fous rires. Nos parents se côtoyaient et se recevaient régulièrement, nous donnant l'occasion de tisser des liens quasi fraternels. À douze ans, nous nous sommes juré de ne jamais nous quitter et de nous aimer jusqu'à la fin de nos jours. Mais l'été suivant, ma famille dut abandonner le petit village qui m'avait vue naître pour s'installer à Paris. J'ai pleuré durant des mois puis la vie a lentement repris son cours. À vingt ans, j'étais devenue une jolie jeune fille courtisée par les plus beaux garçons du quartier. Dans mes moments de mélancolie, il m'arrivait de repenser à mon amour de jeunesse, même si je m'efforçais rapidement de le chasser de mes pensées. Je me trouvais ridicule de rêver à nos promesses d'enfants. Pourtant, un matin d'août 1932, Isaac est venu sonner à la porte de notre appartement de la rue Blanche. L'année suivante, nous nous mariions et quelques mois plus tard, je donnais naissance à deux magnifiques petits garçons. Nous vivions un bonheur incommensurable. Isaac avait monté une boutique de chapeaux et son nom devenait une référence dans les milieux à la mode. Des bruits circulaient sur la propagande anti-Juifs qui après avoir émergé dans certains pays voisins arrivait en France, mais je pensais que rien ne pourrait jamais venir assombrir nos vies.

Cependant, dès le printemps 1940, les Allemands défilaient dans les rues de Paris et, au mois d'août suivant, les premières affiches anti-Juifs portant la mention « établissement interdit aux Israélites » apparurent dans notre quartier. Néanmoins, rien de tout cela ne vint entamer notre bonheur. J'étais comblée par un mari aimant et attentionné, les sourires de mes enfants et la bienveillance de mes parents.

Quand, à l'automne 1940, l'État français ordonna le recensement de tous les Juifs de Paris, Isaac se conforma à la loi malgré mes objections. Le 17 octobre, nos cartes d'identité portaient les mentions « Juif » et « Juive ». Dans le même temps, Isaac se vit contraint d'accrocher la pancarte « *Jüdisches Geschäft*[1] » sur la vitrine de la boutique. Six mois plus tard, au mois de mai 1941, la première rafle emporta plusieurs familles juives alors qu'Éli et Moshe passaient une année scolaire normale. Avec Isaac, nous étions convaincus que ça ne pouvait pas nous arriver. Nous étions en règle, avions respecté les nouvelles lois, ce ne devait pas être le cas de ces familles qu'ils avaient arrêtées. Nous restions confiants même si la situation des Juifs de Paris continuait de se dégrader. Nous faisions mine de l'ignorer en nous refermant sur nous-mêmes dans un cocon familial que nous voulions protecteur. Ce n'est qu'en juin 1942, lorsque le port de l'étoile jaune devint obligatoire, que j'ai commencé à avoir peur. J'ai reproché à Isaac de nous avoir fait recenser. Encore une fois, il s'est voulu rassurant. *Ce sont ceux qui ne l'ont pas fait qui seront inquiétés*, me répondait-il. Le chaos environnant renforça nos sentiments l'un pour l'autre. Plus que jamais nous étions soudés.

---

1. Entreprise juive.

C'est dans cette situation plus qu'incertaine, mais au cœur de tout cet amour, que le 17 février 1943, tu es venue au monde, Hannah. *Comme tu peux l'imaginer, ta naissance ajouta encore plus de joie et de bonheur à notre famille, et tes frères se révélèrent être de fervents protecteurs pour leur petite sœur.*

Malheureusement, la situation continua de se détériorer. Éli et Moshe furent renvoyés de l'école. Pas seulement eux, plus aucun enfant juif n'était autorisé à fréquenter une école publique. Bien évidemment ton *Zeved Habat*[1] fut annulé et la boutique fermée. Nous sortions très peu, respectant le couvre-feu et espérant que les choses se calmeraient vite et nous permettraient de reprendre une vie normale. Ton père jugea qu'il valait mieux ne pas attirer l'attention sur nous. *Si nous respectons les lois et restons discrets, ils nous laisseront tranquilles…* disait-il chaque soir au moment du dîner.

Bien sûr, il se trompait. Tous les jours, de nouvelles familles juives étaient emmenées. Nous ne les revoyions pas revenir. L'oppression s'intensifiait, la peur grandissait : nous étions traqués, telles des bêtes sauvages. Alors nous décidâmes de fuir. Des relations devaient nous aider à partir pour la Suisse. Beaucoup essayèrent de nous décourager mais ton sourire et la joie de vivre de tes frères nous donnaient le courage d'affronter le danger.

La veille de notre départ, j'ai voulu tenter une dernière fois de convaincre mes parents de nous accompagner. Avec Isaac, nous sommes allés chez eux dès la levée du couvre-feu. Éli et Moshe étaient chargés de rester avec toi dans l'appartement et de ne pas bouger jusqu'à notre retour. Nous n'avions pas prévu qu'une brigade ferait une descente dans le quartier juste ce jour-là. Tes frères ont pris peur. Ils t'ont sortie de ton berceau, enveloppée

---

1. Équivalent du baptême pour les filles chez les Juifs séfarades.

dans ta couverture et ont fui par les toits. Mais avec toi dans les bras, ils avançaient si lentement qu'ils craignaient de ne pas réussir à nous alerter à temps. Alors ils t'ont déposée sur le zinc, dans un angle invisible de la rue, en te promettant de revenir dès qu'ils nous auraient retrouvés. Malheureusement quand ils nous eurent rejoints, la police était déjà là. Nous avons été emmenés à Drancy. Tous les six. Tes grands-parents, ton père, tes frères et moi.

Qu'es-tu devenue, ma chérie ? Es-tu seulement encore en vie ? J'ai grondé tes frères pour t'avoir abandonnée. Pourtant, que pouvaient-ils faire d'autre ? Ils sont si jeunes. Nous avons tous beaucoup pleuré. Pour toi. Pour nous. Pour l'avenir. Mais je ne peux me résoudre à perdre espoir. Je veux croire qu'un jour viendra où nous serons à nouveau réunis.

6

La fin de l'année 1942 fut marquée par une vague de suicides parmi la garnison SS d'Auschwitz. Ces pertes significatives firent craindre à Himmler un risque pour la mise en œuvre de la solution finale. À cette époque, la construction des quatre crématoires de Birkenau était au centre des préoccupations et les *Sonderkommandos*[1] chargés de leur édification frôlaient la rébellion. L'urgence était de redonner le moral aux soldats allemands afin de rétablir l'ordre dans le camp.

C'est Reinhard Heydrich[2] qui le premier eut l'idée d'envoyer un psychiatre à Auschwitz. D'abord réticent, Himmler finit par se ranger à cette possibilité et c'est à Josef Meyer qu'il pensa. Les deux hommes s'étaient rencontrés quelques années plus tôt à l'hôpital de Berlin lors de la mise en place de *l'Aktion T4*[3]. À cette époque, Meyer fut l'un des rares médecins de l'hôpital à ne pas s'insurger contre ce programme qui visait à euthanasier les handicapés et les malades mentaux. Non pas parce qu'il adhérait à l'idée mais plutôt parce qu'il avait peur du parti.

---

1. *Kommandos* spéciaux chargés de faire entrer les détenus dans la chambre à gaz, puis de mettre les corps dans les crématoires.
2. Officier allemand directeur du RSHA (*Reichssicherheitshauptamt* : office central de la sécurité du Reich).
3. Ce programme, aussi appelé euthanasie, a été mis en place en 1940 par le régime nazi. Il visait à assassiner tous les handicapés mentaux et physiques.

C'est d'ailleurs cette grande docilité, plus que ses compétences professionnelles, qui lui valurent d'être repéré par Himmler à ce moment-là. Josef Meyer avait compris très vite que rien ne pouvait arrêter la *NSDAP* qui se débarrasserait sans scrupule de tous ceux qui se mettraient en travers de sa route. Craignant pour sa famille, il avait jugé préférable de ne pas contester les décisions qui venaient d'en haut. Sa femme ne comprit pas son manque de réaction et lui en voulut pour sa lâcheté. Au fil des jours, elle s'éloigna de lui et quand, au printemps 1943, il lui demanda de venir s'installer à Auschwitz, elle refusa de le suivre. Elle prétexta ne pas vouloir exposer leur petite fille au climat trop rigoureux de la Haute-Silésie et jugea qu'en cette période de guerre, Berlin restait l'endroit le plus sûr. Sans essayer de dissiper les malentendus, Josef Meyer partit seul pour la Pologne. Par la suite, il n'aura malheureusement jamais l'occasion de lui expliquer qu'il n'obéissait pas par conviction ou lâcheté mais uniquement par amour pour elles. Il pensait qu'en agissant de la sorte, ils seraient tous les trois à l'abri des désagréments de la guerre et qu'ils pourraient continuer à vivre le plus normalement possible. Il avait tort.

Pourtant à l'époque, il a joué le jeu. Il est venu s'installer dans la jolie villa qui lui était réservée près du camp d'Auschwitz. La maison, bien trop grande pour lui seul, jouissait d'une terrasse au premier étage et d'un agréable jardin côté sud. Comme beaucoup de ses collègues de même rang, il avait à son service deux personnes choisies parmi les internés. Irena s'occupait de l'intendance de la maison (cuisine, ménage, soin du linge…) tandis que Dariuz entretenait le jardin et le potager. Meyer a tout accepté pour doucement se glisser dans ses nouvelles fonctions. Jour après jour, il est devenu un de leurs instruments de guerre prêt pour le projet GEIST 24.

GEIST 24 était un programme expérimental qui consistait à sonder l'état psychique des SS des camps d'Auschwitz I puis de Birkenau afin de s'assurer qu'ils étaient dévoués corps et âme au Führer. C'était une façon de continuer à contrôler le mental des soldats issus des *Hitlerjugend*. Josef Meyer devait les rencontrer individuellement et les faire s'exprimer sur leur quotidien. Il avait ensuite la responsabilité de juger s'ils étaient de « bons SS » et, le cas échéant, de dénoncer les « mauvais » à Rudolf Höss qui déciderait de la conduite à tenir. Son travail ne consistait plus à soigner des malades pour les empêcher de nuire. Il devait au contraire s'assurer que la trop grande sensibilité de certains ne vienne perturber la vocation destructrice du camp.

Il était là pour permettre à l'horreur de se produire. Bien des années après, le seul fait d'y penser lui donnera encore la nausée.

La mise en œuvre du programme d'euthanasie de *l'Aktion T4* fut pour Josef Meyer le début du renoncement au serment d'Hippocrate. Sa fonction à Auschwitz avec le projet GEIST 24 en marqua la fin.

7

12 juillet 1943

Chaque jour, je dois user d'habiles stratagèmes pour parvenir à dissimuler mon précieux journal. Il est ici mon seul ami. Le sentir près de mon cœur quand je le garde sous ma blouse, puis le retrouver pour y consigner mes pensées, craintes et souvenirs constituent une échappatoire à mon sordide quotidien.

Je n'ai pas revu Isaac depuis mon arrivée.

À peine descendus du train, les hommes et les femmes ont été séparés, puis on nous a fait défiler deux par deux devant un officier allemand qui mettait les jeunes femmes à gauche et celles plus âgées ou avec enfants à droite. C'est dans ce second groupe que j'ai été placée avec maman, Moshe et Éli. Heureux d'être toujours ensemble, nous nous dirigions vers le camp A quand un homme vêtu d'un long manteau blanc immaculé arrêta le cortège. Il passa lentement dans les rangs en sifflant un air de la Tosca, nous toisant un à un de bas en haut. Il choisit quelques enfants qu'il désigna de l'index avant de m'arracher mes fils. Ce fut comme un poignard en plein cœur. J'étais dévastée. J'aurais voulu lui cracher au visage mais maman m'a retenue. Je les ai douloureusement regardés s'éloigner quand un médecin allemand m'a ordonné de le suivre. J'ai compris plus tard que les garçons et moi venions d'échapper à la chambre à gaz. Maman n'a pas eu cette chance. Ou peut-être en a-t-elle eu ? On perd vite la notion des choses ici.

Je croise presque quotidiennement Éli et Moshe au block 10 et j'ai cru comprendre qu'ils subissent eux aussi d'atroces tortures. Comme nous tous ici, ils ont beaucoup maigri et leurs yeux ne pétillent plus de malice comme par le passé.

Je ne sais plus si je dois prier pour qu'ils restent en vie ou au contraire pour qu'ils périssent au plus vite. Quand je les rencontre, je m'efforce de rester à distance suffisante pour ne pas attirer l'attention. J'ai déjà vu des mères se faire assassiner par « l'ange de la mort »[1] parce qu'elles enlaçaient leur enfant qui connaissait ensuite le même sort. Cet homme est un médecin du camp. Probablement l'être le plus abject que j'ai rencontré jusqu'ici. Il cache bien son jeu pourtant. Toujours tiré à quatre épingles, les bottes bien cirées, poli, élégant. Mais derrière cette aguichante façade se cache une personnalité monstrueuse capable des pires sévices. Il a fait de mes fils deux de ses proies innocentes.

Mon bourreau à moi est différent. Je le qualifierais de vulgaire et prétentieux. Il est désagréable, violent et je pense qu'il s'adonne à la boisson. Il s'agit du docteur Carl Clauberg.

Combien de temps parviendrons-nous à leur résister ?

---

1. Surnom donné à Josef Mengele.

8

En homme intelligent, Josef Meyer se rendit vite compte de l'importance de sa position au sein du camp. Sa proximité avec le commandant ainsi que son indépendance par rapport aux autres médecins faisait de son bureau un poste stratégique. Dès le début, il s'appliqua à suivre à la lettre les prérogatives du GEIST 24. Face à la lourde charge administrative liée à ses entretiens, Höss lui accorda l'aide d'un secrétaire. Choisi parmi les détenus, Zelmann Steinberg était étudiant en médecine à Varsovie avant d'être interné à Auschwitz. À son arrivée, le médecin-chef du camp l'avait pris à son service avant de le faire transférer chez Meyer. Le psychiatre trouva en ce jeune homme d'une vingtaine d'années une aide précieuse. Discret et méthodique, il se contenta d'abord de classer les dossiers de couleurs que remplissait Meyer, puis imposa au fil des jours un avis avisé sur les personnalités complexes du camp. Il assistait aux entretiens menés avec les soldats et officiers allemands et en rédigeait les comptes rendus. Steinberg sut vite gagner la confiance de Meyer et les deux hommes, malgré les circonstances, commencèrent à s'apprécier. On peut même dire que le psychiatre considérait son secrétaire plus comme un collègue que comme un détenu. Fort de cette relation privilégiée,

Zelmann Steinberg alerta Meyer sur les pratiques d'un autre médecin du camp : le docteur Entress[1].

— Des injections de phénol, dites-vous ?

— Oui. Il y en a presque chaque jour et...

— Qui vous a parlé de ça ?

— Vous n'êtes pas au courant, n'est-ce pas ?

Meyer blêmit, se tourna vers la fenêtre et ferma les yeux, semblant chercher au plus profond de ses souvenirs.

— Pour être tout à fait honnête, j'ai eu vent de quelque chose de ce genre, il y a quelques années. C'est même un peu par là que les choses ont commencé. Du moins en ce qui me concerne.

Meyer tira une cigarette de sa poche et en tendit une à son secrétaire qui refusa d'un mouvement de tête. Il en aspira quelques bouffées puis reprit.

— En Allemagne, dès 1941, nous avons reçu ordre d'éliminer les malades mentaux. C'est à cette époque que j'ai entendu parler d'injection au phénol. En intraveineuse d'abord puis directement dans le cœur. Je vous avoue qu'au début je n'ai pas voulu y croire. Mais les directives étaient claires...

— Vous l'avez fait ?

— Pas directement. Mais je ne m'y suis pas ouvertement opposé. Ce qui revient à peu près au même, n'est-ce pas ?

Le Polonais s'abstenant de commentaire, Meyer se retourna et s'approcha de lui en le regardant fixement dans les yeux.

— Mais croyez bien qu'à aucun moment, je n'ai approuvé ce genre de pratique, ni toutes celles qui ont suivi d'ailleurs.

_____

1. Médecin SS zélé et cruel ayant reçu son diplôme de médecin sans avoir passé de thèse. Il interpréta un ordre des autorités comme une autorisation de tuer à volonté.

— Je n'en doute pas un instant, *Doktor*, ajouta Steinberg comme pour rassurer son interlocuteur.

Meyer se calma et sourit légèrement en signe de remerciement puis poursuivit son récit.

— À mon arrivée ici, j'ai compris que ces pratiques soi-disant réservées aux hôpitaux psychiatriques s'étaient développées hors de nos frontières. C'est *Herr Doktor* Entress lui-même qui m'en a parlé. Il m'a présenté ça comme la solution la plus rapide et la moins coûteuse pour se débarrasser des incurables. Par contre, j'ignorais tout des actions auxquelles vous faites allusion.

— J'ai été aide-soignant au block 20 avant de rejoindre le bureau du médecin-chef, et je sais de quoi je parle.

— Oui oui, je suis au courant.

— Il n'y a pas que les incurables qui reçoivent ce genre de traitement, vous savez. Entress a ordonné de ne pas soigner les tuberculeux, et de traiter aussi de la sorte tous les inaptes au travail.

— Comment ça se passe exactement ?

— Le matin les sélectionnés arrivent au numéro 20 en sabots, presque nus. Les plus malades sont dans des brouettes poussées par des plus valides. On referme ensuite la porte du block sur lequel pèse la plupart du temps un terrible silence de mort. Puis, un à un, les détenus passent derrière un rideau où, vêtu d'une blouse blanche, l'infirmier SS Klehr pratique les injections. Tous meurent instantanément. Le soir le camion du crématoire vient ramasser les cadavres.

— Et c'est Entress que dirige tout ça ?

— Je l'ai moi-même entendu dire qu'une injection à trente pour cent dans le cœur avec une seringue de dix centimètres cubes permettait d'éliminer jusqu'à trente à quarante personnes par jour.

— Quarante par jour ?

— Et même plus. Rien qu'au premier trimestre 1942 quand j'étais au block 20, il y a eu au moins deux cents exécutions de ce type.

— Et Wirths[1] est au courant ?

— Je ne sais pas. En tout cas, Entress mène bien sa petite affaire.

— Merci, Zelmann, pour vos informations. Je vais aller trouver Wirths et tenter d'en savoir plus.

---

1. Médecin-chef du camp d'Auschwitz de septembre 1942 à janvier 1945. Tous les autres médecins du camp y compris Clauberg et Mengele étaient placés sous son autorité. Il s'est pendu en 1945.

9

22 juillet 1943
Je n'ai pas vu Éli et Moshe depuis plusieurs jours. Je
crains pour leur vie. Tout bascule si vite ici. Moi-même
je ne sais pas comment je fais pour être encore vivante.
Ça doit intriguer le docteur Clauberg, d'ailleurs, car je
suis une de ses cobayes qui résistent le mieux. Les injections dans le vagin se sont espacées, mais tous les jours,
il pratique sur moi une série de mesures et d'analyses.
C'est un tyran brutal et complexé. L'être le plus laid et le
plus répugnant que j'aie croisé dans mon existence. En
cachette, j'ai réussi à lire quelques-unes de ses notes. Il y
fait allusion à des expériences visant à servir la politique
démographique négative de l'Allemagne et cherche un
moyen de liquider notre peuple tout en utilisant notre
main-d'œuvre pour l'armement. En bref, il cherche à nous
stériliser telles de vulgaires vaches ou je ne sais quoi. C'est
un cauchemar, je vais me réveiller, c'est pas possible !
Dans quel monde avons-nous basculé ?
    C'est pour les garçons que je m'inquiète le plus. Je sais
qu'ils servent de cobayes eux aussi mais j'ignore dans quel
but. S'en prendre à des enfants. Quel genre d'homme
faut-il être ? J'ai demandé de l'aide à Maria, l'infirmière
polonaise à qui Clauberg fait faire tout le sale boulot :
injections létales, ramassage des cadavres, désinfections

des tables, etc. Elle se rend parfois dans le laboratoire du docteur Mengele[1] et m'a promis de tenter de me rapporter des nouvelles de mes fils. Je l'ai aussi chargée de les embrasser pour moi. Je ne sais pas si elle le fera mais elle me l'a promis.

30 juillet 1943

Elle les a vus et m'a rassurée sur leurs conditions. Ils sont maigres et fatigués, mais ils sont vivants. Et puis surtout, ils sont toujours ensemble. Ces quelques mots ont suffi à me mettre en joie pour quelques heures.

31 juillet 1943

Ils m'ont volé mon âme. La mort ne doit pas être pire que ce que je vis depuis ce matin. Si je n'avais pas l'espoir de serrer encore une fois mes enfants dans mes bras, j'en finirais. Ce matin, Clauberg a voulu vérifier que sa tentative de stérilisation était un succès. Les mesures de ces derniers jours étaient en fait destinées à déterminer le moment opportun ; et c'est aujourd'hui. Après une dernière mesure, il a fait entrer un homme, lui a demandé de baisser son pantalon puis de s'allonger sur moi. Bien que tremblant, le détenu s'est exécuté.

— *Schnell* ! *Bumse sie*[2] !

Mon bourreau hurlait de plus en plus fort mais l'homme, aussi terrorisé que je l'étais, gardait son sexe désespérément mou et ne parvenait pas à entrer en moi. Hors de lui, Clauberg a saisi une barre de fer qu'il a levée au-dessus de sa tête. L'homme tenta d'obéir mais la menace ne fit que le tétaniser un peu plus. N'y tenant plus,

---

1. Il participait aux sélections des déportés dès leur arrivée et décidait ceux qui seraient gazés immédiatement. Il s'est également livré à de nombreuses expériences sur les détenus et en particulier sur les jumeaux. À la fin de la guerre, il ne fut pas arrêté et parvint à fuir en Amérique Latine.
2. Vite ! Baise-la !

Clauberg a violemment abattu sa matraque sur le crâne du malheureux. Plusieurs coups suivirent. Je pleurais, criais, j'ai cru qu'il allait nous tuer tous les deux. Puis le sang a jailli et le corps inerte de cet homme s'est effondré sur moi. Clauberg fulmina de rage et ordonna à son infirmier de lui trouver des triangles verts[1]. Il eut tout juste le temps de dégager le cadavre de mon corps que trois hommes aux visages durs et pervers faisaient leur entrée. Le premier ne s'est pas fait prier. Il a baissé son pantalon et m'a pénétrée violemment, un filet de bave au bord des lèvres. J'ai hurlé et me suis débattue comme j'ai pu mais l'homme me maîtrisa sans efforts. Quand il eut fini, Clauberg me fit attacher puis ce fut le tour des deux autres. Comment décrire la violence avec laquelle ces énergumènes m'ont ôté le peu de dignité que j'avais conservé ? Comment expliquer la violence, le dégoût, la haine, la peur, le désespoir ? J'ai mal dans mon corps, mon cœur et mon âme. Isaac mon amour, sauve-moi. Sauve-nous. Si tu veux encore de moi.

---

1. Détenus de droit commun.

10

Passé dix-neuf heures, le « *Wein als Bier* » principal bar du KZ[1], était le point de ralliement des soldats et officiers allemands. Leurs fonctions au camp, éprouvantes sur bien des points, exigeaient quelques compensations et, contrairement à la plupart des endroits en cette période de guerre, tout y était fait pour satisfaire ces besoins. Nourriture, alcool et cigarettes abondaient, poussant la plupart des SS à une consommation excessive.

Le soir, le lieu était principalement fréquenté par des gardes, des chefs de blocks, des médecins et du personnel administratif. Les membres du commandement et de la direction du camp avaient plutôt tendance à se retrouver dans leurs villas pour des soirées un peu plus privées.

Josef Meyer se rendait régulièrement à chacune d'elles. Au « *Wein als Bier* », il avait pour habitude de s'asseoir au comptoir où il sirotait quelques cognacs.

De temps à autre, il y croisait un de ses collègues médecins mais leurs contacts, bien que cordiaux, restaient très distants. Il faut souligner qu'ils n'avaient pour ainsi dire aucun rapport professionnel. Meyer officiait à l'extérieur du camp alors que Clauberg, Mengele et leurs sbires étaient affectés au block 10.

---

1. *Konzentrationslager* : camp de concentration.

Cependant, comme tout le monde dans le camp, ils avaient besoin d'un petit verre le soir. Tous buvaient d'ailleurs, et pour certains, ça devenait vital.

— Bonsoir *Doktor*, un cognac ?

— Un double, s'il vous plaît, Hans, répondit Meyer en allumant une cigarette.

Le barman remplit un verre de l'alcool préféré du médecin et le déposa sur le zinc. Meyer l'avala d'un trait et d'un signe de tête en commanda un autre alors qu'un groupe de trois caporaux-chefs faisait son entrée. Manifestement ivres, les hommes parlaient fort et avaient du mal à marcher droit. Ils arrivaient des chambrées où, grâce à une corruption de moins en moins dissimulée, l'alcool coulait à flots. Les bouteilles y étaient parfois plus nombreuses que les soldats et les sous-officiers avec le résultat que l'on peut imaginer. Le médecin reconnut l'un d'entre eux. Un certain Müller. Fränze Müller. Celui-ci titubait tant qu'il ne remarqua pas la présence du psychiatre. Les trois hommes prirent place autour d'une table et commandèrent des vodkas. Leurs voix se faisaient de plus en plus sonores au fur et à mesure que les verres se vidaient. Ils riaient fort, éructaient bruyamment, sans se soucier des personnes présentes. Derrière eux, un autre groupe tout aussi éméché commençait à s'agacer de la présence des nouveaux venus.

Meyer observait la scène du comptoir.

— Qu'en pensez-vous, *Doktor* ? Ça va dégénérer ?

— J'en ai bien peur, Hans. Sur quel groupe misez-vous ?

— À mon avis, c'est Friedrich qui va frapper le premier. Il se croit chez lui ici et ne supporte pas que ce soit pareil pour d'autres.

— Peut-être. À moins que ça ne vienne de ce côté-là, suggéra le médecin en désignant Hermann Schüller assis à l'autre bout du comptoir.

Hans jeta un coup d'œil furtif.

52

— Ça m'étonnerait. C'est vrai qu'il ne faut pas le chatouiller beaucoup mais tant qu'on l'emmerde pas, il est plutôt calme.

Le barman remplit une nouvelle fois le verre que lui tendait Meyer tandis que la tension montait entre les deux groupes de soldats. Le médecin porta le breuvage à ses lèvres sans quitter la salle des yeux. Il en avalait une seconde gorgée quand, juste derrière lui, Friedrich se leva brusquement. Il saisit la chaise qu'il venait de libérer et alla la briser sur le dos de Müller qui s'effondra sur le sol. Aussitôt ses acolytes se dressèrent et firent voler la table de leurs adversaires. Alors qu'une rixe s'engageait entre les deux groupes, Schüller restait impassible. Il alignait les schnaps qu'il descendait sans ciller. Accoudé au comptoir, Josef Meyer observait la scène d'un œil distrait. Il alluma une cigarette, en inspira une longue bouffée avant de tirer quelques marks de sa poche qu'il déposa sur le zinc.

— Tenez, Hans, vous avez gagné. Je devrais changer de métier, vous êtes plus fin psychologue que moi.

Le barman empocha son gain en ricanant.

— Sans rancune.

— Sans rancune. À l'avenir, j'éviterai de parier trop gros avec vous, rétorqua le médecin en se levant. Vous ne m'en voudrez pas mais je vous laisse gérer ça. Moi, je les verrai demain dans mon bureau.

Il libéra son tabouret et se faufila vers la sortie, esquivant au passage une bouteille de vodka qui avait manifestement loupé sa cible.

Le lendemain, Josef Meyer débuta sa journée à huit heures par un rendez-vous avec Hermann Schüller. Les deux hommes n'avaient pas eu l'occasion de se parler depuis leur première entrevue et le médecin craignait que le caporal-chef ne lui fasse faux bond. Il arpentait son bureau de long en large, réfléchissant à la meilleure façon d'aborder l'entretien, quand Schüller arriva. Aussi ponctuel que la première fois. Rasé de près, il portait un uniforme impeccable, des bottes rutilantes et avait visiblement passé du temps à discipliner ses cheveux blonds. Après qu'il eut répondu à son salut, Josef Meyer l'invita à s'asseoir.

— Drôle de soirée, n'est-ce pas ?

Schüller opina du chef en signe d'approbation.

— Vous allez souvent au « *Wein als Bier* » ? poursuivit-il.

— Et vous ?

— Régulièrement, oui. J'aime siroter un petit cognac après une dure journée. C'est pareil pour vous, j'imagine.

— On a tous nos petits travers, c'est ça ?

— Écoutez, caporal-chef Schüller, vous vous trompez de cible, je ne suis pas votre ennemi. Je suis là pour tenter de vous faciliter la vie.

— Vraiment ? Alors qu'avez-vous fait depuis notre dernière entrevue ? Contre l'odeur, vous avez une solution à proposer ? ironisa-t-il.

Meyer se dirigea vers l'armoire métallique derrière lui et en retira une fiole qu'il déposa sur son bureau.

— Je vous ai dégoté un flacon de parfum. Je me disais que quelques gouttes déposées sur un mouchoir que vous porteriez à vos narines quand la puanteur se fait insupportable pourraient être de bon secours, répondit le psychiatre sur le même ton.

Schüller esquissa un rictus et se laissa légèrement glisser sur sa chaise de façon à pouvoir confortablement poser son pied droit sur son genou gauche. Il fouilla dans la poche de sa veste et en sortit un paquet de cigarettes quelque peu écrasé. Il en offrit une au médecin avant d'en extraire une seconde à l'aide de ses dents.

— Je ne pensais pas que vous tiendriez compte de ma dernière remarque.

— Je vous l'ai dit, mon métier consiste à prendre en considération les difficultés des soldats pour les aider à trouver une solution.

— Et vous croyez vraiment que quelques gouttes de parfum suffiront à me faire oublier cette puanteur ?

— Non. J'espère juste pouvoir gagner un peu de votre confiance.

Le visage de Schüller se décrispa. Il se leva en tapotant dans le creux de sa main la cigarette qu'il n'avait pas encore allumée.

— Bon. Vous avez gagné ! lança-t-il enfin. Qu'attendez-vous de moi au juste ?

— Je vous l'ai dit. Vous me racontez votre quotidien ici, et moi je m'efforce d'apporter des solutions à vos problèmes.

— Très bien. Je commence par où ? concéda le caporal-chef en se rasseyant.

— Par votre affectation ici, par exemple.

— Je suis au block 11[1]. Celui des prisonniers.

— Des prisonniers ?

— Oui vous savez, la prison dans la prison en somme.

— Oui, bien sûr, le block 11. Et qu'y faites-vous ?

— Je surveille et je peux vous dire qu'on ne manque pas de boulot. Ces Polonais valent pas mieux que les Juifs. De la vermine tous autant qu'ils sont. Si vous les voyiez suspendus au poteau, ils font moins les malins, déclara Schüller en riant. Ils croyaient quoi ? Qu'on allait les laisser faire ? Et à l'approche du mur, *Doktor* Meyer, la plupart se pissent dessus avant qu'on ait eu le temps d'armer nos fusils. Des mauviettes, en plus !

— Je vois que vous prenez votre fonction à cœur, caporal-chef Schüller.

---

1. Appelé aussi bunker. Ce block était la prison du camp. On pouvait y être emmené pour diverses raisons (avoir volé une pomme, travaillé trop lentement, échappé au kommando...).

— Parfaitement. D'ailleurs avec les gars, on fait pas dans la demi-mesure. Quand un nouveau prisonnier nous est amené, on cherche pas à savoir pourquoi. On lui fait la totale. Il a d'abord droit à la baston de sa vie. Coups de pieds, de matraques, on lui explose la tête jusqu'à ce qu'il réalise qu'il ne vaut pas mieux que les rats. Après ça, ceux qui osent encore relever leurs visages vers nous sont attachés au poteau par les bras et les jambes, la tête vers le sol jusqu'à ce que mort s'ensuive. Les autres sont envoyés au cachot. S'ils ne crèvent pas assez vite, c'est le mur noir[1].

— Je n'étais pas au courant de ces pratiques. Aux ordres de qui obéissez-vous ?

— Le commandant nous a donné carte blanche. Il veut éviter la surpopulation au block 11. Pour le reste, il nous laisse faire.

— Il est content de vous, j'imagine ?

— Je dois avouer, *Doktor* que personne n'a encore jamais eu à se plaindre de mes services. Depuis le *Hitlerjugend* jusqu'ici, j'ai toujours fait partie des mieux notés.

— Je n'en doute pas, caporal-chef, je n'en doute pas.

Schüller jeta un coup d'œil rapide à sa montre.

— D'ailleurs je dois y aller, c'est l'heure de prendre mon service et je ne veux pas faillir à ma réputation.

Il salua promptement le médecin avant de tourner les talons.

Meyer le regarda sortir, songeur. Le type était encore plus inquiétant qu'il ne l'avait imaginé.

Il se leva et ouvrit la fenêtre. Un vent frais s'engouffra dans son bureau. Le ciel était dégagé et l'air sec. Une belle journée, en somme. Il observa un instant les quelques stratus disséminés çà et là et l'image de sa fille vint troubler

---

1. Ou mur de la mort ; entre le block 10 et le block 11 s'élevait un mur noir devant lequel des milliers de détenus ont été fusillés.

son esprit. Il l'imaginait parmi les anges. Un jour peut-être, elle lui ferait un signe. Il avait envie d'y croire en tout cas. Alors souvent, il suspendait le temps pour observer le ciel, attendant... il ne savait quoi.

Un homme se présenta à sa porte, mettant fin à ce court moment de recueillement. De taille moyenne, il portait un uniforme mal taillé pour lui et affichait une arcade sourcilière fraîchement tuméfiée. Aussitôt le psychiatre reconnut Fränze Müller. Il l'avait rencontré une fois déjà avant la soirée de la veille mais leur entretien avait été interrompu par un appel en renfort lors d'une tentative d'évasion du camp. Un groupe de nouveaux arrivants avait tenté de faire fuir leurs enfants et tous avaient été fusillés. Les corps durent alors être déplacés jusqu'à une fosse pour y être disposés en alternance avec du bois et former un bûcher humain. Ce sont les détenus, sous les ordres des kapos, qui se chargeaient de ce genre de travail en général mais ce soir-là, il manquait du personnel et Müller fit partie des réquisitionnés pour prêter main-forte aux autres gardes.

Toutefois, malgré la brièveté de leur première rencontre, Meyer avait réussi à cerner la personnalité du soldat. Un homme insignifiant faisant son devoir à la limite de l'indispensable sans trop de zèle. Doté d'un esprit obtus, il s'en tenait strictement au règlement. Il n'éprouvait pas de désir particulier à faire du mal aux détenus mais souvent, afin de s'épargner toute fatigue ou travaux inutiles, il lui arrivait d'infliger sans le vouloir d'atroces tortures physiques et mentales aux prisonniers. Sous sa responsabilité, les kapos pouvaient laisser libre court à leur domination sur leurs compagnons d'infortune, il n'en avait cure. En résumé, il faisait partie de ces soldats peu zélés, idiots et fainéants qui ne forçaient ni la haine ni l'admiration mais un profond dégoût. Malheureusement pour les détenus, la grande majorité des gardes étaient comme lui.

— La soirée a été mouvementée, on dirait ? lança le médecin en pointant du doigt l'œil au beurre noir du soldat.

— Comme vous dites. Il y a eu du grabuge au « *Wein als Bier* » hier soir.

— C'est ce que j'ai cru comprendre, ajouta-t-il, omettant volontairement de mentionner sa présence qui semblait avoir échappé à son interlocuteur.

— Y a des malades, vous savez. On était tranquillement en train de siroter quelques bières quand ce fou est venu nous écraser une chaise sur la gueule.

— J'ai entendu parler de ça en effet, mais nous ne sommes pas là pour refaire la soirée, n'est-ce pas ?

— Vous avez raison, répondit Fränze l'air renfrogné.

Il déposa sa casquette sur le coin du bureau, et prit place face à Meyer.

— Bon, où en étions-nous ?

Le médecin fit mine de relire ses fiches.

— Vous me parliez de votre arrivée au camp.

— Oui, je me souviens. Je venais de vous raconter ma première journée quand l'alarme a retenti.

— Reprenons là, si vous le voulez bien.

Le caporal-chef s'enfonça dans sa chaise jusqu'à une position qu'il jugea suffisamment confortable pour la suite de l'entretien et se mit à relater les événements sur un ton monocorde. Il parlait de lui comme s'il était agi d'un autre, sans aucune émotion. Il semblait complètement étranger à ce qui se passait derrière les barbelés. Il faisait son travail sans entrain ni dégoût. Meyer l'écoutait d'une oreille distraite, faisant de temps à autre tourner son stylo entre ses doigts. Son esprit avait du mal à rester attentif et il faisait de son mieux pour cacher son ennui. Pour Müller au moins, il était tranquille. Ce n'était pas le genre d'homme susceptible d'envisager le suicide. Il appliquait les ordres à la lettre sans se poser de questions. Pour lui, les détenus n'étaient pas vraiment des êtres humains. Hommes, femmes et enfants représentaient un danger potentiel pour le Reich et son devoir consistait à les empêcher de nuire. Peu importait comment.

Meyer le laissa terminer son monologue. L'homme appréciait visiblement beaucoup l'occasion qui lui était offerte pour parler de lui et il était intarissable sur le sujet. Le médecin, pour sa part, laissait à son secrétaire le soin de noter ce dont il avait besoin et ne l'écoutait plus. Il pensait à sa fille. Et comme souvent, il fut pris de nausées. Il aurait tant voulu hurler, la serrer dans ses bras. Il regrettait de ne pas les avoir emmenées avec lui. Peut-être ne serait-elle pas tombée malade ici ? Peut-être serait-elle toujours en vie ? Il en voulait à sa femme, même si au fond de lui il savait qu'elle n'y était pour rien. Il était le seul responsable. Sa faiblesse et sa lâcheté l'avaient tuée. Jamais il ne se le pardonnerait.

11

3 août 1943
Ils sont morts. Tous les deux.

7 août 1943
J'ai passé les quatre derniers jours à vomir et l'on m'a transférée au *Revier*[1] avec les cas de dysenterie. Comment pourrai-je survivre à mes enfants ? Les garçons sont morts et toi, Hannah, où es-tu ? Dis-moi que tu es encore en vie. Donne-moi une raison de continuer à lutter. Je ne suis plus rien si ce n'est A-71935, ce matricule qu'ils m'ont tatoué sur l'avant-bras.

D'après Maria, Éli a succombé aux sévices infligés par les monstres du block 10, et Mengele a assassiné Moshe pour les autopsier tous les deux en même temps. Pour la science. Pour ses recherches sur les jumeaux. Ce type est un grand malade. C'est lui qui devrait être interné. J'ai demandé à être exécutée mais Clauberg a refusé. Il a cependant ordonné à des kapos de m'infliger une petite correction pour me montrer qu'ici, ce sont eux qui décident quand nous devons mourir. Ces hommes m'ont battue à coups de pieds et de matraques. Ils s'en sont donné à cœur joie jusqu'à ce que leur violence me fasse

---
1. Hôpital des prisonniers du KZ Auschwitz.

perdre connaissance. Quand je me suis réveillée, j'étais entourée de dysentériques. Pourquoi m'ont-ils mise ici ? Je n'en sais rien. Peut-être est-ce leur façon d'accéder à ma demande. Mon corps décharné ne pourra certainement pas résister à la contagion et à la mort. Chaque jour, il y a entre huit et dix nouveaux cadavres dans le block. Mon tour viendra bien assez vite maintenant. Je pense à toi, Hannah. Peut-être es-tu déjà avec tes frères ? Bientôt je vous retrouverai, mes enfants. Soyez patients. Quelques jours tout au plus et mon cœur s'arrêtera.

12

Depuis la conversation avec son secrétaire, Meyer cherchait un moyen d'aborder la question des injections au phénol avec le médecin-chef du camp. Il ne fallait pas donner l'impression de trop se soucier des détenus, ce n'était pas bon pour lui, mais il avait besoin de savoir. L'occasion se présenta de façon totalement inattendue.

Un matin, Auschwitz accueillit un homme d'un genre particulier. Un prince roumain vivant à Munich avec sa mère et qui, malgré des appuis très haut placés, devenait totalement ingérable. Cet individu, notoirement connu pour sa vie dissolue et ses penchants homosexuels, était devenu dérangeant. Arrêté par la Gestapo pour outrage, Himmler décida de l'envoyer à Auschwitz, pensant que le travail forcé et les conditions de vie difficiles du camp contribueraient à le guérir rapidement.

À son arrivée, on lui demanda, comme à tout nouvel interné, de se déshabiller pour passer à la douche mais le type refusa catégoriquement. Le prisonnier étant d'un genre inhabituel, Höss fut immédiatement appelé en renfort. Il découvrit un individu pour le moins étrange qui suscita chez lui une vive inquiétude. Les yeux grands ouverts, le cou enfoncé dans ses épaules, l'homme regardait de tous côtés à l'affût du moindre danger. Ses mouvements saccadés trahissaient son angoisse mais restaient efféminés.

À son tour, le commandant lui ordonna fermement de se déshabiller pour se rendre à la douche. L'homme ne broncha pas. Höss haussa le ton et l'individu se mit à pleurer tel un jeune enfant disant qu'il avait honte. Ses habits lui furent alors retirés de force par le personnel du camp, dévoilant un corps entièrement tatoué de scènes obscènes. Toutes les pratiques sexuelles, des plus conventionnelles aux plus perverses, y étaient représentées. Le commandant s'efforça de dissimuler son trouble et ordonna qu'on le pousse sous la douche et qu'on lui rase la tête. Avec les autres internés, le passage à la désinfection était chose aisée, mais là, ce fut très différent. Dès que quelqu'un s'approchait de lui, l'homme se mettait dans un état d'intense excitation sexuelle. Tandis que sa main allait et venait vigoureusement sur son sexe turgescent, sa langue cherchait à lécher le visage des gardes qui s'écartaient avec dégoût. Armés de matraques, ceux-ci tentèrent de le calmer mais les coups semblaient augmenter l'excitation de la bête. Ils le laissèrent alors se masturber jusqu'à la jouissance, espérant que l'éjaculation mettrait fin à sa frénésie sexuelle. Le calme fut de courte durée. Les gardes parvinrent tout juste à lui faire endosser la tenue rayée des détenus que son pénis se durcissait à nouveau. Il fut remis au chef de block avec ordre de le surveiller sans relâche. Il fallut mobiliser deux équipes de gardes se relayant nuit et jour pour assurer le contrôle du prince roumain. Himmler avait demandé à ce qu'il soit logé à la même enseigne que les autres détenus mais d'emblée, l'affaire s'avéra compliquée. Incapable de travailler, le moindre effort physique paraissait irréalisable pour ce genre d'énergumène habité par des démons lubriques totalement incontrôlables. Il était impossible de l'approcher à moins d'un mètre sans que son membre ne se raidisse et que son corps n'entre en transes. Rudolf Höss fit alors intervenir Wirths, le médecin en chef, qui ordonna de le ramener dans sa chambrée. À peine allongé, l'homme fut à nouveau saisit de pulsions sexuelles auxquelles il s'adonna frénétiquement. Wirths demanda conseil à Meyer. Ils n'avaient pas l'habitude de travailler ensemble mais en tant que psychiatre, c'était probablement le plus à même de l'aider. À l'issue de longues journées de collaboration, ils en arrivèrent à la même conclusion. Ensemble, ils rédigèrent un rapport pour le *SS-Reichführer* lui indiquant que la place d'un tel individu n'était pas dans un camp mais dans une maison spécialisée. Dans l'attente, l'homme fut placé en prison où il mourut d'épuisement à force de masturbation. Quand il apprit la nouvelle, *l'avait-on aidé à mourir ?* fut la première question qui vint à l'esprit de Josef Meyer. L'entrée en matière pour aborder la question du phénol était toute trouvée. Le nouveau rapport expédié, il demanda à Wirths de lui accorder quelques instants avant de retourner à ses occupations.

— Drôle de zozo, hein ?

— À qui l'dites-vous ! répondit Meyer. J'en ai pourtant rencontré quelques-uns des tordus mais lui, quel phénomène !

— Sa propre mère vient de nous faire parvenir un télex dans lequel elle se dit soulagée de le savoir mort.

— Cependant, je ne comprends toujours pas pourquoi ils nous l'ont envoyé. Pour le tuer, certainement, même si les choses n'ont pas été dites en ces termes.

— Vous avez probablement raison. Sa place était dans un hôpital et pas dans un camp. Nous le confier était absurde.

— Il faut dire que l'Allemagne a un problème avec les hôpitaux psychiatriques depuis que l'ordre a été donné d'en éliminer tous les pensionnaires.

— Oui, j'ai entendu parler de ce programme. C'est terrible, n'est-ce pas pour des hommes comme nous ?

— Je suis heureux de vous entendre parler ainsi. Par les temps qui courent, c'est plutôt rare comme point de vue.

— Vous savez Josef, vous permettez que je vous appelle par votre prénom ?

Le psychiatre opina du chef en signe d'approbation.

— *Je ne suis pas national-socialiste car je suis médecin et en tant que tel, individualiste*[1], déclara-t-il sur un ton laconique comme si cette phrase suffisait à résumer sa position.

— Je partage complètement votre avis, cher confrère. À ce propos, je voulais aborder avec vous un sujet quelque peu délicat...

— Allez-y. Parlez en toute confiance.

— J'ai eu vent de pratiques déviantes de la part de certains de nos collègues et du docteur Entress en particulier.

— Tiens donc, ce cher Entress ! Je n'affectionne pas beaucoup cet homme. Arrogant, prétentieux, tout ce que j'aime.

— Eh bien, selon mes sources, il pratiquerait des injections au phénol directement dans le cœur des détenus sans aucune justification médicale. Au début, il s'agissait a priori d'incurables mais maintenant, il semble avoir étendu cette pratique au plus grand nombre.

— Mais c'est contraire aux ordres ! Berlin est bien clair sur le sujet. Nous devons envoyer à la chambre à gaz ceux qui ne peuvent pas travailler, mais pour les autres, il n'y a pas de mise à mort arbitraire à effectuer.

— C'est bien ce que j'ai cru comprendre moi aussi et c'est pour cette raison que je tenais à vous en parler.

— Vous avez très bien fait, Meyer. Je vais mener mon enquête soyez-en assuré.

---

1. Phrase prononcée par le docteur Wirths à un de ses secrétaires détenu.

13

13 août 1945

Je suis faible et je ne peux plus me tenir debout. On m'a transférée avec les autres malades. Je ne suis plus chez les dysentériques. Qu'est-ce que ça change de toute façon ? Mourir là ou ailleurs. Ne m'en veux pas, Isaac mais je n'ai plus la force de lutter. Toi, résiste. Tu dois t'en sortir pour aller retrouver Hannah. Tu la chercheras sur cette terre et moi, dans l'au-delà. À nous deux, on est certains d'y arriver. Quelles souffrances ! Depuis les dernières horreurs que m'a infligées le docteur Clauberg, mon corps ne m'appartient plus. Je ne sens plus rien au niveau de mon bassin. Pour le ventre, ça va. Je ne perds rien des mouvements des intestins et des spasmes de mon estomac qui crie famine. Mais pour ce qui est de mes sphincters, je ne maîtrise plus. J'urine sous moi sans même m'en apercevoir. Mon corps sera bientôt réduit à l'état de musulman,[1] j'en ai peur. Il n'y a que mon esprit qui semble garder son intégrité. C'est peut-être ça le pire. Je suis consciente de tout ce qui m'arrive. Pour souffrir plus, plus longtemps. Les sévices, les humiliations, les viols, la mort. Tout. Je supporte tout. Mon corps va lâcher, j'espère. Je n'en peux plus.

---

1. Terme employé pour désigner un déporté squelettique et inapte au travail. Arrivé à ce stade, la mort est inéluctable.

14

Comme chaque mois depuis son arrivée en Pologne, Josef Meyer était convié à la traditionnelle soirée donnée par les Höss. C'est en réalité l'épouse du lieutenant-colonel qui avait instauré ce rituel deux années auparavant, lorsque Glücks[1] reprocha à son mari l'absence de liens amicaux avec ses subordonnés du camp. Depuis, il ne se passait pas un mois sans que Rudolf Höss ne convie une cinquantaine de ses collaborateurs à quelques mondanités durant lesquelles il restait d'ailleurs très en retrait.

Rasé de près et parfumé à l'eau de Cologne, Josef Meyer quitta sa villa, une boîte de cigares à la main. Comme son commandant, il n'était pas amateur de ce genre de soirée, mais la vie au camp manquait tellement de distractions qu'il avait appris à s'en satisfaire.

Ce soir-là, il avait abandonné son uniforme pour revêtir un beau costume gris anthracite qu'Irena avait pris soin de repasser. Lorsqu'il arriva chez les Höss, des petits groupes de discussions s'étaient déjà formés parmi les invités.

---

1. Général nazi. De 1939 à la fin de la guerre, il fut à la tête de la division des camps de concentration. Il a été le responsable direct du travail forcé des déportés et c'est également sous son autorité que relevaient les expériences médicales menées par des médecins nazis sur les détenus des camps. Il est, sous l'autorité d'Himmler, à l'origine de la mise en place de la solution finale, et en particulier des exécutions de masse dans les chambres à gaz. Il se suicida à la capitulation allemande en 1945 en avalant une capsule de cyanure.

Arriver le premier à ce genre de soirée l'avait toujours mis mal à l'aise. Il s'arrangeait donc pour ne faire son apparition que tardivement. Cela lui permettait d'observer un peu l'assemblée avant de s'y fondre.

— Mon cher Meyer, comment allez-vous ? l'accueillit le maître des lieux.

— Très bien, commandant. Je vous remercie.

— Venez. Je vous ai réservé une place à la table de mon fidèle adjoint.

— Hum, très bien, fit-il, feignant d'ignorer l'animosité récente dont faisait preuve le commandant vis-à-vis de son aide de camp.

— Il nous quitte bientôt, vous savez ?

— J'ai cru comprendre qu'il partait pour l'Estonie.

— Oui. Pour le camp de Vaivara.

Le lieutenant-colonel se pencha vers le médecin et lui souffla à l'oreille :

— Je l'ai recommandé.

Meyer n'était pas sans savoir qu'après avoir entretenu de bonnes relations avec Hans Aumeier[1] dans les rangs d'Eicke[2] à Dachau, Höss avait fini par s'agacer de ses excès de zèle. C'était certainement ce qui avait motivé la prochaine mutation du responsable du *Stammlager*.

Le médecin fit un signe à Eduard Wirths, installé près de la cheminée, puis salua les convives assis à sa table. Il prit place entre Aumeier et Fritzsch, un autre des subordonnés du camp que le commandant n'affectionnait pas particulièrement.

Une domestique de la maison s'approcha et, après avoir rempli les verres, déposa la bouteille d'un grand cru bordelais sur la table. En grand amateur de vin,

---

1. Commandant du *Stammlager* ou Auschwitz I. Il était le bras droit de Höss.
2. Dirigeant nazi connu pour son antisémitisme et anti-bolchevisme radical. Il participa à la nuit des longs couteaux. Il a été le commandant de Dachau et a étendu le système concentrationnaire en créant Sachsenhausen et Buchenwald.

Josef Meyer appréciait la courtoisie qu'avait Höss de partager quelques-unes des merveilles de sa cave avec ses hôtes. Comme toujours le repas fut fin et savoureux. Mets raffinés, millésimes d'exception, café noir et cigares cubains. Le psychiatre ne bouda pas son plaisir. À la fin du repas il sortit, un verre de cognac à la main, prendre l'air sur la terrasse. Un léger vent frais vint caresser son visage. Au loin s'élevait la fumée des crématoires mais l'odeur était supportable.

— Alors Meyer, on s'isole ? lança le commandant.

— J'ai besoin de me dégourdir un peu les jambes après le festin que vous nous avez offert.

— Je vous comprends. D'autant que mes invités ne sont pas toujours intéressants.

— Vous faites allusion à mes voisins de table, j'imagine.

— Entre autres oui, avoua Höss. Vous aimez les cigares ?

— Ça fait partie de mes péchés mignons, en effet.

— Venez. Suivez-moi.

Le lieutenant-colonel le guida le long des couloirs de son immense demeure jusqu'à un petit salon situé au premier étage.

— Chaque soir après le dîner, j'ai coutume de me retirer dans cette pièce pour fumer et lire un de ces merveilleux ouvrages que vous voyez là.

Meyer parcourut du regard les murs de la pièce dont deux pans étaient entièrement consacrés aux livres. Le médecin nota au passage quelques grands noms de la propagande allemande.

— Tenez, goûtez-moi ça. Vous m'en direz des nouvelles.

Il saisit un des cigares de la boîte tendue par Höss et le porta à ses narines. Le parfum lui rappela celui offert par son beau-père quand il lui accorda la main d'Angela.

Les deux hommes prirent place dans de confortables fauteuils en cuir marron et allumèrent leurs barreaux de chaise.

— Avez-vous des nouvelles de votre femme, *Doktor* ?

— Elle est allée s'installer chez sa sœur à Frankfurt il y a deux semaines, au moment de l'évacuation de Berlin. Cependant, même si la menace persiste, elle souhaite déjà rentrer.

— Vous devriez l'en dissuader. Je me suis récemment entretenu avec Goebbels[1] et nous craignons vraiment un bombardement anglais.

— C'est ce que je m'efforce de lui faire comprendre mais depuis la mort de notre fille, ce n'est plus la même femme. Se rendre sur la tombe de notre enfant est devenu son unique raison de vivre.

— Je comprends. Et vous, cher ami, comment allez-vous ?

— Je survis. Et puis je suis tellement occupé...

— Bien sûr. Bien sûr.

Le commandant se leva et ouvrit un petit secrétaire d'où il tira une bouteille de cognac de quinze ans d'âge.

— Ma réserve personnelle, dit-il en remplissant deux verres.

Ils trinquèrent avant de porter le délicat breuvage à leur bouche.

— Savoureux, n'est-ce pas ?

— Excellent, répondit le médecin avant d'aspirer une longue bouffée de cigare.

— Dites-moi, *Doktor*, comment vont nos hommes ?

— Bien, pour la plupart, commandant. Vous ne devriez pas vous faire de soucis à leur sujet. À part quelques-uns plus sensibles que les autres, ils accomplissent leurs tâches de façon très professionnelle.

---

1. Aux côtés d'Hitler, Göring et Himmler, il était un des plus puissants dirigeants nazis. Profondément antisémite et antichrétien, il fut ministre de la propagande et de l'éducation du peuple. Il devint chancelier à la mort d'Hitler et se suicide en mai 1945.

— Sachez que je vous suis très reconnaissant du travail que vous accomplissez. Avant votre arrivée, nous avons essuyé, au sein même de nos rangs, quelques actes isolés de rébellion et craignions une propagation du mouvement. Sans parler des suicides, bien entendu.

Le psychiatre hocha la tête en signe d'approbation.

— Mais grâce à vous, nos soldats ont retrouvé leur vigueur naturelle.

— Merci commandant, vous me flattez.

— Que diriez-vous de participer aux sélections, ça vous changera un peu de nos hommes ?

— Sans vouloir vous offenser, *Herr* lieutenant-colonel, je ne pense pas avoir les compétences de mes collègues pour ce genre d'exercice, tenta Meyer.

— Qu'est-ce que vous me racontez là ! Vous gardez ceux qui vous semblent en état de travailler, et les autres au feu. Ce n'est pas bien compliqué.

N'osant exprimer sa profonde répulsion pour ce genre d'exercices, le psychiatre balbutia quelques mots incompréhensibles que le commandant fit mine de ne pas entendre.

— Rendez-vous demain après-midi au *Revier*. Il y a du ménage à faire. On manque de place ! ajouta Höss imperturbable.

15

15 août 1943

Je vais mieux. La mort ne semble pas vouloir de moi. Peut-être faut-il que j'accepte de souffrir encore pour un jour revoir ma petite fille ? Je crois que les doctoresses m'ont inscrite sur la liste des guéries. Il y a une sélection prévue demain et j'espère que cela me permettra de passer au travers.

J'échappe aux sévices corporels depuis mon admission au *Revier* mais la faim est toujours là. Sournoise, douloureuse, permanente. Mon inséparable me tord les entrailles et brouille mon esprit. La soif, elle aussi, m'accompagne. Elle me brûle la gorge de façon insoutenable. Je n'ai pas de miroir mais je sais que je ressemble à ces femmes autour de moi. On se ressemble toutes ici, d'ailleurs. Les mêmes crânes rasés noircis par la saleté, la même maigreur enfouie dessous ces infâmes robes grises sur lesquelles figurent nos matricules, les mêmes regards vides, hagards. Qu'ont-ils fait de nous ?

Isaac, où es-tu, mon amour ? Es-tu vivant ? J'aurais tant besoin de ton soutien, de ta force. Dis-moi que c'est un cauchemar. Que bientôt nous nous retrouverons tous les cinq avec nos rires et ce bonheur impertinent qui nous accompagnait. Ils n'auront pas nos souvenirs, ni nos belles années de joie. Je les garderai en moi jusqu'à la fin.

J'aimerais tous les voir crever, les faire souffrir. Qu'ils se rendent compte de ce qu'ils nous infligent. POURQUOI ? Pourquoi nous ? Qu'avons-nous fait de si grave pour mériter cette horreur ?

Écoute-moi, Hannah, si tu vis encore quelque part sur cette terre. Venge-toi. Sois heureuse. Reprends ce bonheur là où on l'a laissé et délecte-t'en chaque jour. Profite de la vie, de chaque instant, de chaque repas, et prouve-leur que tu es la plus forte. Je t'aime, ma petite fille.

16

Les sélections, il en avait entendu parler mais, jusque-là, il y avait échappé. Josef Meyer pénétra dans le camp à treize heures trente. Les gros nuages gris de la veille avaient laissé place à un soleil éclatant. Seule la fumée noire qui s'échappait de la cheminée venait assombrir la luminosité de ce bel après-midi d'été.

Il fit un détour par la *Kommandantur* avant de se diriger vers le *HKB*[1] où il était attendu. Comme à chaque fois, il fut saisi par la triste vision qu'offrait le camp dès son entrée. Absence totale de végétation, blocks et barbelés portant la mention *Hochspanung-Lebensgefahr*[2] à perte de vue, toute forme de vie semblait avoir quitté les lieux depuis longtemps. Il passa devant le block 7[3] d'où une terrible odeur d'excréments se dégageait sur plusieurs mètres à la ronde. Quand il arriva au *Revier*, les kapos avaient déjà ordonné aux détenus de se déshabiller pour lui permettre de mieux apprécier l'état de décharnement avancé de leurs corps. Les valides attendaient à l'extérieur, debout sous un soleil de plomb. Près de la porte se tenaient, douloureusement avachis, ceux avec une jambe brisée ou des œdèmes invalidants. Quelques-uns déambulaient en se traînant

---

1. Hôpital à l'intérieur du camp.
2. Haute tension, danger de mort.
3. Block des maladies infectieuses ayant longtemps fait partie du Revier.

péniblement d'un côté à l'autre de la pièce. Mais c'est au fond du block que le spectacle était le plus affligeant. Les vivants se mêlaient aux morts en un indescriptible tas de corps nus et rachitiques. Au centre, un seau débordant d'urine et de matières fécales dégageait une odeur pestilentielle. Le médecin eut du mal à retenir un haut-le-cœur face à ce spectacle effrayant. Il avança malgré lui au milieu de cette abominable misère humaine, réalisant doucement qu'il avait pouvoir de vie ou de mort sur tous ces gens. Qui envoyer au crématoire ? Pour certains, ils seraient probablement morts avant d'y arriver. Pour les autres, impossible de tous les sauver sans entamer la confiance que lui vouait le commandant et risquer de se retrouver à leur place. Il reprit ses esprits et décida de passer très vite parmi eux et d'éviter, pour ne pas faillir, de croiser leurs regards terrifiés et implorants. Meyer épargna tous les détenus déclarés guéris ainsi que ceux debout à l'extérieur. Dans le block, il choisit les personnes condamnées par une maladie ou en état de musulman, ce qui revenait à peu près au même. Le médecin s'efforça ensuite de se persuader qu'en agissant ainsi, il leur épargnerait de nouvelles souffrances inutiles. La sélection ne dura que quelques minutes qui lui parurent, comme aux détenus, une éternité.

Il signa l'ordre de crémation et se dirigea prestement vers la sortie. À ce moment-là, une femme portant une étoile jaune cousue sur sa robe manqua de le faire tomber en se jetant à ses pieds. Tremblante, elle ramassa un objet qu'elle s'empressa de dissimuler sous sa blouse. Elle le regardait, terrifiée, redoutant sans doute que l'incident ne la condamne à rejoindre la liste des sélectionnés. Surpris et troublé par son audace et ses yeux implorants Meyer ne chercha pas à savoir ce qu'elle avait ramassé. Il eut cependant le temps d'apprécier la régularité de ses traits ainsi que la profondeur de son regard. Il ne put s'empêcher de penser que ce devait être une belle femme avant que le camp ne la transforme en bête sauvage. Jamais il n'oublierait son visage, pensa-t-il. Les yeux humides, il se hâta vers son bureau. Dans quelques heures, le tiers des personnes rencontrées ce matin serait réduit à l'état de cendres.

17

17 août 1943
Mon cher journal. Tu as bien failli me coûter la vie.
Alors que j'avais évité la liste des sélectionnés, je t'ai malen-
contreusement fait glisser aux pieds du médecin allemand.
Par chance il n'a rien remarqué, ou fait semblant de ne
rien voir, je ne sais pas. Toujours est-il qu'il m'a épargnée.
Et toi aussi. On se raccroche vraiment à n'importe quoi ici.
J'en suis rendue à risquer ma peau pour un petit carnet.
Ce journal est devenu mon acte de résistance. Mon moyen
de lutte et de rébellion contre les Allemands. Mon espoir
d'une vie meilleure. Mon souvenir d'un immense bonheur
perdu. Et aussi et surtout, ma mémoire pour toi, Hannah.
Parce que tu vis, j'en suis convaincue. Tant que mon cœur
battra, je ne pourrai me résoudre à admettre que le tien
s'est arrêté sur les toits d'un immeuble parisien un matin
de mai 1943.

19 août 1943
Tu es là, mon bébé. Près de moi. Je te serre dans mes
bras tandis que la balançoire oscille au gré du vent. Tu
sembles doucement t'endormir, bercée par le chant des
oiseaux. Je regarde la rivière dans laquelle se baigne ton
père. Il me fait signe de le rejoindre mais je ne veux pas te
lâcher. Nous sommes enfin réunis tous les trois. Sauvés.

Le soleil nous réchauffe de ses rayons d'été. Au bout du chemin, j'aperçois notre maison. Au premier étage, un volet claque. Je me surprends à me laisser aller. Plus rien ne peut nous arriver maintenant. Je caresse doucement ta tête, voudrais te fredonner une berceuse mais ma voix ne veut plus chanter. Alors, doucement, remontent à la surface les souvenirs de ces dernières chansons et avec elles, mes inquiétudes vite chassées par Éli et Moshe qui accourent vers nous en riant. Ils ont vu passer un lapin et cherchent à le rattraper. À nouveau, je souris. Puis soudain le ciel s'assombrit. Un homme vêtu de blanc marche derrière les garçons. Calmement mais sûrement, il s'approche d'eux. Il écarte doucement son manteau afin de dégager un fusil qu'il pointe sur leurs têtes innocentes. Alors que les balles percutent leurs petits corps, il s'élance vers moi pour t'arracher à mes bras. Je tente de résister et c'est à ce moment-là que je reconnais l'abominable visage du docteur Mengele. Je me réveille transpirante, le cœur battant à cent mille et les yeux gonflés de larmes. En une fraction de seconde, je reconnais l'endroit : je suis toujours à Auschwitz. Ce cauchemar hante mon sommeil depuis la mort des garçons. Chaque jour, chaque nuit, cet être abject me poursuit. Deux de mes enfants sont morts par sa seule volonté. Pourvu que tu ne croises jamais sa route, Hannah, ma chérie.

18

— Alors *Doktor* ? Bonne matinée ?

Josef Meyer leva la tête de son dossier pour découvrir un Rudolf Höss adossé à l'encadrement de sa porte laissée grande ouverte.

— Disons différente, répondit-il en faisant signe à son secrétaire de les laisser.

Le commandant du camp entra et s'installa sur la chaise face à son bureau.

— Vous verrez, on y prend goût.

— Vraiment ? Même quand il s'agit de femmes ou d'enfants ?

Höss émit une sorte de ricanement vexant.

— Vous êtes si...

— Humain ? C'est l'adjectif que vous cherchez ?

— Ah, tout de suite les grands mots ! Si vous saviez combien j'ai travaillé moi aussi pour apprendre à me dominer et à faire preuve d'une dureté sans faille. Quand j'étais à Sachsenhausen, Eicke m'a appris à devenir l'homme que je suis aujourd'hui. « Un bon SS doit être capable d'anéantir ses propres parents s'ils venaient à se rebeller contre Hitler ! » disait-il.

— Et ça ne vous fait rien ?

— Je suis un homme comme vous. Il m'arrive de temps à autre d'être ébranlé par un regard implorant ou par une femme tentant de sauver son enfant.

— Vous me surprenez, commandant ! fit le médecin dubitatif. Que faites-vous dans ces cas-là ?

— Mon travail. Je les envoie au crématoire et m'octroie ensuite une longue promenade à cheval ce qui, en général, suffit à me remettre d'aplomb.

Meyer se leva pour aller fermer la fenêtre par laquelle s'infiltrait une persistante odeur de corps pourrissant au soleil.

— Même avec cette pestilence permanente, vous parvenez à oublier ?

— Les crématoires I et II parviennent à incinérer deux mille cadavres en vingt-quatre heures mais ce n'est pas encore suffisant pour nous épargner les désagréments imposés par ces bûchers à ciel ouvert. Je compte bien y parvenir avec la mise en service des numéros III et IV, dans quelques semaines.

— Vous m'en voyez ravi, rétorqua le médecin en tentant de dissimuler son dégoût.

Le commandant tira une cigarette de son pantalon et en proposa une au psychiatre qui ne se fit pas prier. Il avait besoin de quelque chose pour l'aider à reprendre un peu de contenance.

— Rejoignez-moi demain vers dix heures. Nous irons faire du cheval. Vous verrez comme le grand air vous fera du bien, cher ami.

— À vos ordres, commandant.

— Je vous aime bien Meyer, et j'apprécie votre travail, mais ne vous posez pas trop de questions, ça vous simplifiera la vie, croyez-moi.

19

20 août 1943

J'ai été transférée à Birkenau. À ma sortie de l'hôpital, ils m'ont d'abord envoyée au Sauna[1] pour m'indiquer ma nouvelle affectation, puis ici au block 30. Je suis soulagée de ne pas retourner au numéro 10. Rien ne pourra être pire que les sévices de ces apprentis sorciers. Du moins, je l'espère.

Au Sauna, on nous a pris nos vêtements et chaussures et laissées nues sous un soleil de plomb en attendant le passage à la douche. Je sentais mon crâne brûler sous les rayons ardents de cette journée d'été. Sur tout mon corps, ma peau rougie s'est mise à me tirailler douloureusement. Ensuite, c'est encore nues mais mouillées que nous avons dû attendre de nouveaux vêtements. L'eau qui, un instant, était venue soulager ma peau des effets du soleil s'est alors mise à en amplifier les effets.

Par chance, après ça, j'ai revu Isaac. Il est vivant. En nous rendant au block 30, nous sommes passées devant le camp des hommes et j'ai aperçu mon cher amour. Assis près des barbelés, il nous regardait marcher. Il m'a reconnue tout de suite malgré mon crâne rasé et mes habits trop grands. Il a beaucoup maigri, comme nous

---

1. Salle de désinfection et d'enregistrement. Endroit où l'on décidait des affectations des détenus.

tous ici, et son visage semble avoir pris dix ans d'un coup. Ses yeux ne sont plus aussi pétillants non plus. Je t'aime tant, mon Isaac. Il a tendu ses mains vers moi mais la kapo m'a empêchée de l'approcher. Il est vivant, c'est tout ce qui compte aujourd'hui. Le savoir en vie suffit à me redonner du courage pour au moins cent ans. J'espère avoir l'occasion de m'approcher de lui à un autre moment. Il faudra que je lui parle des garçons. Lui dire que je n'ai rien pu faire.

23 août 1943

La vie dans le camp est un peu différente de celle que j'avais au block 10. Le baraquement est fait de la même manière. À droite et à gauche de l'entrée, il y a deux pièces : une pour le pain et, une pour la chef de block[1] qui, grâce à sa méchanceté, a droit à un matelas, des draps et des couvertures. Moi, ils peuvent me promettre tout le confort qu'ils veulent, je ne pourrai jamais devenir aussi cruelle qu'elle. J'ai obtenu un *koya*[2] au niveau supérieur où il est possible de s'asseoir sans se cogner la tête. Nous sommes plus nombreuses qu'au block 10. On nous entasse à huit dans chaque *koya* : quatre dans un sens et quatre dans l'autre. Il est pratiquement impossible de dormir. Nous sommes si serrées que s'allonger sur le dos ou se retourner relève de l'exploit sportif. Et quand enfin, on parvient à trouver une position moins inconfortable que les autres, on est dérangé par une codétenue plus ou moins hargneuse. Nos conditions de détention font ressortir les traits de caractère les moins glorieux de notre nature. Alors insultes, disputes et vols entre internés sont quotidiens. Je ne sais pas si je parviendrai à te conserver longtemps mon précieux carnet.

---

1. *Blockälteste.*
2. Nom donné aux couchettes des détenus. Ce sont des planches sur trois étages avec une séparation tous les deux mètres.

29 août 1943

Les journées sont rudes. La *stubowa*[1] nous réveille à trois heures du matin pour nous distribuer cette boisson infâme que l'on nomme ici café, puis elle nous fait mettre en rang devant le block. Là, nous devons rester debout dans l'obscurité de la nuit, souvent plusieurs heures, jusqu'à ce qu'un kapo vienne nous chercher pour nous mener à un *kommando*[2] de travail. Tout le monde se bat pour faire partie d'un de ces *kommandos*. Ils craignent le four en cas d'inactivité. D'autres, comme moi, ont choisi de ne pas se fatiguer pour les Allemands et de se planquer au block au moment du départ. Le petit manège demande beaucoup de vigilance et d'énergie mais le plus souvent, j'y arrive. Parfois je me cache dans les latrines jusqu'à leur départ puis, je m'assois dans un coin du camp en attendant leur retour. En ce moment, c'est assez facile car nous sommes très nombreuses. Le midi, je me faufile parmi les travailleuses pour avoir ma ration de soupe que l'on nous sert la plupart du temps dans un seul bol pour trois ou quatre sans cuillère. L'après-midi, même scénario : je me planque. J'ai trouvé un coin où m'asseoir assez discrètement sur le chemin de la carriole qui transporte les aliments et, de temps en temps, j'arrive à m'organiser une pomme de terre ou un quignon de pain qu'elle laisse tomber. Les jours se suivent et se ressemblent. Je vis dans la faim, le froid, la saleté et la terreur permanente. Aucun moment de joie, de répit ou de menu plaisir. Grâce à toi, mon cher carnet, j'arrive cependant à me ménager ces quelques instants d'éternité pendant lesquels je te raconte mes malheurs, je me souviens de mon bonheur passé et j'espère des jours meilleurs.

---

1. Terme employé à Auschwitz Birkenau pour désigner une détenue chef de chambrée. C'est l'équivalent de *Stubenälteste*.
2. Groupe de travail forcé.

20

— *Heil Hitler* !
— *Heil Hitler* !
— Soldat, présentez-vous ! ordonna Meyer à l'homme qui se tenait devant lui.
— Caporal-chef Schwarz. Rike Schwarz.
— Eh bien, mon cher Schwarz, asseyez-vous et dites-moi depuis combien de temps vous êtes parmi nous.
— J'ai débarqué, il y a deux semaines environ. J'arrive du front de l'Est.
— Tiens ? On manque de recrues là-bas, je crois. Comment se fait-il qu'ils ne vous aient pas gardé ?
— J'ai été blessé à la jambe et ne peux plus courir comme avant.
— Ils ont jugé que vous seriez plus utile ici.
— Probablement, répondit Schwarz dans un sourire béat.
— À quel poste êtes-vous affecté ?
— Je suis au canada[1]. Quand un matricule est attribué à un détenu, je dois ranger ses biens et son argent afin qu'ils soient conservés jusqu'à son départ du camp.
— C'est un travail qui vous satisfait ?
— Oui, je crois.

---

1. Endroit du camp d'Auschwitz où sont conservés les biens confisqués aux détenus jusqu'à leur libération.

— Vous croyez ?

— C'est-à-dire que je ne comprends pas tout.

— Allez-y, racontez-moi.

— Je suis assez content parce qu'ici les repas sont beaucoup plus copieux qu'à l'Est. On est privilégiés, vous savez. Et puis il y a le rhum, la vodka, les cigarettes, je n'avais pas connu une telle opulence depuis le début de la guerre.

— Alors on peut considérer que vous êtes heureux parmi nous ?

Le caporal-chef marqua un instant d'hésitation.

— De ce point de vue-là, c'est vrai, mais je ne suis pas complètement à l'aise avec ça.

— Qu'est-ce qui vous dérange ? De quoi manquez-vous ?

— De rien. Mais, je ne suis pas idiot, vous savez. Je sens bien qu'il se passe des choses bizarres ici. Certains de mes camarades disparaissent pour quelques missions douteuses à chaque fois que l'on entend crier « convoi ». Je les ai questionnés et...

— Et ?

Schwarz hésita un instant avant de lancer sa question d'un trait :

— Je me demande ce qu'il se passe exactement ici ?

Josef Meyer inspira profondément sans lui répondre. Ça y est, il avait un client. Visiblement, cet homme possédait encore une conscience, contrairement à tous les autres soldats qu'il avait rencontrés depuis sa prise de fonction à Auschwitz.

D'un geste de la main, il l'invita à continuer.

— J'ai posé cette question à Schüller, un de mes camarades de chambrée, mais j'ai du mal à croire sa version.

— Que vous a-t-il dit ?

— Que les biens n'étaient jamais restitués aux détenus.
Il m'a expliqué que lorsque les convois arrivent, on se
débarrasse de ceux qui sont inaptes au travail.

— Vous a-t-il dit comment on s'en débarrasse ?

— Ils sont fusillés, j'imagine.

— Cela vous pose un problème ?

— Un problème ? Non. Disons que ce n'est pas très
habituel. Ailleurs, les prisonniers sont maintenus vivants à
moins qu'ils ne tentent une évasion ou autre chose contre
nous.

— Et que vous a répondu Schüller à ce sujet ?

— Il m'a dit qu'il est nécessaire de liquider les Juifs.
Qu'ils ont empoisonné des sources et mené des actions
de sabotage. Mais les femmes et les enfants ?

— Écoutez Schwarz, vous avez raison, vous n'êtes pas
dans un camp comme les autres ici. Mon rôle n'est pas de
vous en décrire le fonctionnement, vous verrez bien par
vous-même. Sachez que je suis à votre disposition pour
discuter si vous en ressentez le besoin.

Schwarz comprit qu'il n'en apprendrait pas plus. Il
hésita un instant, puis se leva, tendit son bras droit devant
lui pour saluer le psychiatre, et quitta la pièce.

Meyer attrapa un dossier orange, le premier depuis le
début du programme GEIST 24, et le tendit à son secrétaire
pour qu'il range les notes prises durant le rendez-vous avec
Rike Schwarz. Depuis sa prise de fonction à Auschwitz,
c'était le premier soldat au profil psychologique sensible
qu'il rencontrait. Sa fonction originelle allait peut-être
pouvoir à nouveau s'exprimer.

21

1er septembre 1943

Mme Rosenberg est arrivée au camp et par un heureux hasard, nous nous retrouvons affectées au même block. Oh, ce nom ne te dit probablement rien, Hannah, tu es bien trop petite. C'était la professeur de piano d'Éli et Moshe. Une femme de grande classe, bien qu'un peu rondouillarde. Elle était toujours bien mise et d'une patience remarquable avec tes frères. Elle ne m'a pas tout de suite reconnue. Nous nous ressemblons toutes ici : corps squelettiques, teints gris, yeux enfoncés dans des orbites noires… Heureusement il n'y a pas de miroir, on se ferait peur. Elle aussi, d'ici peu de temps, aura perdu ses joues roses et charnues.

Comme avec chaque nouvelle arrivée, nous nous empressons pour avoir des nouvelles de l'extérieur. Où en est la guerre ? Va-t-on venir nous libérer ? Que fait Churchill ? Pour ma part, je l'ai questionnée sur toi, évidemment. Mais elle n'a entendu parler de rien. Ni de bébé mort tombé d'un toit, ni d'enfant recueilli par quelque bonne âme. Rien qui puisse m'avancer plus que je ne l'étais. De toute façon, pour moi, tu es vivante. Accepter l'idée que mes trois enfants ont quitté cette terre reviendrait à m'enlever le peu de raison qu'il me reste. Alors, jusqu'à preuve du contraire, tu vis encore. Quelque part. À Paris ou ailleurs.

2 septembre 1943

Je me suis battue. Pour des épluchures de pommes de terre trouvées par terre. J'ai gagné, c'est moi qui les ai mangées. Je n'en reviens pas. Nous avons faim de façon si atroce que nous agissons comme des bêtes sauvages. Les Allemands sont vraiment très forts. Par la promiscuité qu'ils nous imposent, l'insalubrité dans laquelle nous sommes maintenus, la fatigue et la faim qu'ils nous font subir, ils ont réussi à créer un abominable climat de haine et de suspicion entre nous. La nuit, je suis obligée de cacher mon cher carnet dans mes chaussures et de dormir la tête dessus, sans quoi tout disparaîtrait durant mon sommeil. Peur, faim, fatigue, souffrances, suspicion, délation, tristesse : voilà ma vie maintenant.

22

Josef Meyer relut le compte rendu rédigé par Zelmann Steinberg durant son entretien avec Rike Schwarz.

— En voilà un de différent, annonça-t-il un léger sourire au coin des lèvres.

— En effet, approuva son secrétaire. Tout espoir n'est pas mort.

Le psychiatre haussa les épaules.

— Comment pouvez-vous être si optimiste ?

— Nous devons garder espoir, sinon laissons-nous tous mourir.

— Vous ne vous rendez pas compte, Zelmann. En tant que secrétaire, vous êtes un privilégié. Mais là-bas croyez-moi, derrière ces barbelés, c'est une drôle d'histoire qui se joue.

— J'en suis conscient, *Herr* Meyer. C'est pour...

Le médecin se leva, s'approcha de son secrétaire et sans lâcher son regard pointa du doigt la cour du camp que l'on apercevait de la fenêtre.

— Là-bas, de l'autre côté de ces murs, ce ne sont pas des hommes et des femmes mais des ombres, des morts-vivants qui errent dans le froid, la saleté et la violence, cherchant en vain quelque chose à se mettre sous la dent.

— Mais...

— La machine infernale est en marche et ni vous ni moi ne pouvons l'arrêter.

— L'arrêter peut-être pas, mais il est possible de la freiner ! hurla enfin Zelmann.

— Que voulez-vous que je fasse ? Que j'épargne tout le monde lors des sélections ? Le commandant aura vite fait de me remplacer par un médecin moins sentimental. Et moi, je serai exécuté pour insoumission.

— Si vous ne pouvez pas les épargner tous, commencez par sauver ceux qui sauront en aider d'autres. Et puis, il y a d'autres moyens. Réfléchissez. Vous verrez.

— J'ai déjà parlé avec Wirths au sujet des injections au phénol. Peut-être cela épargnera quelques vies, mais que faire de plus ? Je ne veux pas prendre de risques. Ma femme a déjà perdu sa fille, elle a besoin de moi. Si j'étais fusillé, qui serait là pour elle ?

Zelmann Steinberg ne répondit pas. Il garda la tête penchée sur le dossier qu'il s'empressa de terminer avant d'aller le classer dans l'armoire métallique derrière le bureau. Josef Meyer ouvrit la fenêtre, alluma une cigarette pour tenter de se calmer et leva les yeux vers le ciel. Quel genre d'homme était-il devenu ? Est-ce la guerre qui l'avait rendu ainsi ? Ou était-ce là sa vraie nature ? Faible et lâche. Depuis tant années qu'il fouillait dans la tête des gens, il était toujours incapable de comprendre comment la sienne fonctionnait.

23

4 septembre 1943

Mon bassin a retrouvé sa sensibilité et je recommence à maîtriser mes sphincters. Cela dit, il m'arrive souvent de me laisser aller la nuit. Les latrines sont loin et il faut marcher dans le froid pour s'y rendre. Quelle déchéance ! En même temps, j'essaie de me raisonner pour conserver un semblant de dignité mais j'ai déjà tant souffert depuis mon arrivée dans cet enfer que je n'en ai plus la force. Je crois qu'au fond de moi, j'attends la mort comme une délivrance même si je tente de me raccrocher à Hannah et à mon espoir de la retrouver un jour. Alors je rêve. Je m'imagine avec mon bébé dans les bras. Je sens son souffle chaud contre moi et je guette l'instant où son sourire viendra illuminer ma vie. Tu as six mois, mon bébé et bientôt, nous aurons passé plus de temps loin l'une de l'autre qu'ensemble. J'espère que tu as trouvé une famille pour t'aimer et prendre soin de toi. Je vais tout faire pour te retrouver mais si j'échoue, ne m'en veux pas, c'est tellement difficile. Nous craignons deux choses ici : les sélections et devenir un musulman. Dans un cas comme dans l'autre, la mort est assurée. Les musulmans, ce sont ces sacs d'os qui parviennent à peine à se traîner. Leurs regards sont vides et hagards. La morve leur dégouline jusque dans le cou. Leurs corps sales et puants sont infestés de poux. Ils ont perdu toute forme de conscience, n'ont plus aucune volonté. Leurs cœurs n'ont pas encore cessé de battre mais ce n'est que l'ultime sursaut avant la mort. Les âmes, elles, ont déjà quitté ces enveloppes répugnantes. Il ne leur reste rien de ce qu'ils ont pu être avant. Le pire, c'est qu'ils ne nous font même pas pitié. On a juste peur de devenir comme eux. On préférerait qu'ils soient déjà morts.

5 septembre 1945

La *lagerälteste*[1] m'a attrapée. Après l'appel, j'ai voulu me cacher dans les latrines comme à mon habitude mais on m'a dénoncée. C'est Irma. Cette saleté est allée baver pour une ration de pain supplémentaire. Si elle croit que c'est comme ça qu'elle va s'en tirer, elle rêve. Elle n'a pas compris que les Allemands se servent de nous. Ils n'ont aucune pitié. Elle finira à la chambre à gaz, comme nous tous. En attendant, elle ne perd rien pour attendre. Pour ma part, la *lagerälteste* ne m'a pas ratée. Elle m'a roué de coups jusqu'à ce que je ne puisse plus bouger et m'a laissée par terre. Ce n'est que quand le soleil a atteint son zénith que j'ai enfin pu me hisser jusqu'au block. Demain je suis bonne pour le *kommando*. Elle va m'avoir à l'œil maintenant, c'est certain.

6 septembre 1945

Je suis affectée à un travail en extérieur. C'est à plus d'une heure de marche du camp. Nous nous rendons dans un champ où nous cultivons du *kok-saghyz*[2].

Je ne m'en tire pas trop mal finalement. Il y a des *kommandos* bien plus pénibles. Mme Rosenberg par exemple m'a dit être aux travaux ferroviaires. C'est

---

1. Détenue supervisant les chefs de blocks (*blockälteste*).
2. Plante à latex cultivée pour l'*IG Farben* et devant servir à pallier la pénurie en caoutchouc.

harassant selon elle et je veux bien la croire. En seulement quelques jours, elle est déjà très affaiblie. Mais je ne vais pas trop me réjouir, nous ne sommes qu'en septembre, il ne fait pour l'instant, ni trop chaud ni trop froid. Et puis il y a la *lagerälteste* toujours sur mon dos. Dès qu'elle me voit assise ou en train de parler avec une de mes camarades, ce sont les coups de bâtons assurés. Je travaille non loin d'Irma et elle semble contente de me voir là. Sans doute est-elle fière de m'avoir dénoncée. Garce.

7 *septembre 1943*

Ça y est, je me suis vengée. Je n'aurai pas attendu trop longtemps. Pendant la distribution des soupes, j'ai profité de quelques minutes d'inattention de la *lagerälteste* pour m'*organiser* la ration d'Irma. Helena m'a aidée. Apparemment, cette peste lui avait causé des soucis à elle aussi. J'ai récupéré sa gamelle pendant que ma complice la précipitait dans une fosse pleine de boue. Souillée de la tête aux pieds, elle a tant bien que mal essayé de s'extraire de ce bourbier avec la ferme intention de se jeter sur nous mais la *lagerälteste* s'en est prise à elle. Après quelques coups de pied dans la tête et le ventre, elle faisait moins la maligne. Et nous, on a savouré notre vengeance en mangeant sa soupe.

24

— Mon cher Meyer ! Comment va Berlin ? Vous en revenez juste, je crois.

— Je suis rentré hier soir, en effet.

— Votre femme est restée là-bas ?

— Hélas oui, commandant. Plus rien ne la fera quitter la capitale maintenant.

— Comme je vous plains. Tenez, prenez celui-ci ! ordonna Höss en lui tendant les rênes d'un magnifique pur-sang à la robe ébène. Je vais monter Fürstin.

Ils sellèrent les chevaux et après un verre de vodka vite avalé, ils s'élancèrent à grand galop à travers la forêt.

Bien que l'été ne soit pas terminé, le temps était digne d'un mois de novembre. Nuages gris, un thermomètre oscillant entre dix et douze degrés et une légère bruine. Sur leurs montures, ils éprouvaient malgré tout un réel sentiment de liberté.

— À Berlin, on ne parle que de la trahison italienne, lança Meyer pour rompre le silence pesant qui accompagnait leur escapade.

— Je m'en doute. Cela nous met dans une situation difficile.

— Vous avez des nouvelles du Führer ? On le dit fatigué.

— Je me suis entretenu avec Goebbels récemment et il lui trouve une mine excellente. Il semblerait qu'en ces temps difficiles, il se surpasse.

— Il a encore resserré son dispositif gouvernemental.

— Oui, Himmler s'est vu confier le ministère de l'Intérieur.

— C'est une bonne chose, à mon avis.

— Espérons qu'il saura prendre les décisions adéquates en ce qui concerne les deux fronts.

— La question est de savoir vers qui nous devons nous tourner : Staline d'un côté, Roosevelt et Churchill de l'autre. Il faudra bientôt admettre que nous ne pourrons gagner des deux côtés.

— Je crains que vous n'ayez raison, mon cher Meyer. J'ai cru comprendre qu'Hitler s'attend à un débarquement anglo-américain aux Pays-Bas.

— Nos positions y sont assez faibles, je crois.

— Oui. C'est sur le plan aérien qu'il reste le plus optimiste. Il pense pouvoir maîtriser la guerre à ce niveau-là, d'ici quelques mois.

— Et à propos de la question juive, où en sommes-nous ?

— On continue notre mission. La cadence des exterminations a dépassé le niveau espéré par Himmler et figurez-vous qu'on me cite en exemple dans la plupart des camps.

— Le Führer ne craint-il pas que les Juifs prennent le pouvoir en Angleterre ou aux États-Unis ?

Rudolf Höss afficha un visage amusé.

— Enfin Meyer, ce n'est pas concevable. Même s'ils jouent un rôle de premier plan dans ces pays, ils seront rapidement mis sur la touche quand la situation deviendra critique.

— Si j'étais vous, je n'en serais pas si sûr.

— Dormez tranquille, *Herr Doktor*. Grâce à nous, le monde n'aura bientôt plus à se soucier de cette vermine de Juifs. Il n'en restera qu'un tas de cendres vite éparpillé par le vent, dit-il dans un éclat de rire avant de donner un bon coup d'étrier dans les flancs de son cheval.

25

10 septembre 1943

Ma gorge brûle. J'ai soif. Je vais mourir, c'est certain. Mon esprit divague. J'ai peur. Oh Hannah, j'espère seulement que tu vis. J'ai du mal à garder mes yeux ouverts et tenir ce crayon est presque un exploit sportif. Je n'ai plus de forces.

11 septembre 1943

Quelle belle journée, mon amour. Ce pique-nique au bord du lac était vraiment une idée formidable. Les garçons ont adoré la partie de pêche que vous avez partagée. Les yeux de Moshe sont devenus si brillants quand sa canne s'est mise à bouger. Il ne se croyait pas capable d'attraper un si gros poisson. Hannah était joyeuse elle aussi. Tu as remarqué les progrès qu'elle accomplit chaque jour. Bientôt elle fera ses premiers pas et j'aurai, comme à mon habitude, du mal à retenir mes larmes. Tu me connais, je suis si émotive.

Je remercie le ciel chaque jour de nous avoir permis de fuir et d'échapper à la répression nazie. Le simple fait de vous regarder tous les quatre suffit à me combler de bonheur. Oh, attends un instant. Hannah pleure. Je crois qu'elle a faim. Viens là, ma petite chérie, dans mes bras. Tu es si jolie. Tiens, bois un peu de lait. Éli et Moshe, venez voir qui arrive. Grand-père et grand-mère sont là aussi. Regardez ce qu'ils nous ont apporté. Quelle chance nous avons d'être tous ensemble. Venez les enfants, venez que je vous embrasse, mes amours.

26

Hermann Schüller s'était facilement adapté à ses fonctions à Auschwitz. Quelques semaines seulement après son arrivée, il déclarait que son travail relevait de la simple routine. Son zèle lui valut une mutation au canada où il comprit vite les avantages à tirer de la situation. Il triait et comptait les devises, francs français, couronnes tchèques, dollars américains, zlotys polonais, avant de les envoyer à Berlin. Contrairement à certains de ses collègues, il ne se faisait aucune illusion quant à la restitution des biens à la libération des prisonniers. Il savait que pour la plupart, ils ne ressortiraient jamais du camp. Convaincu qu'une conspiration juive s'organisait contre l'Allemagne, il estimait que les exterminer était une chose juste. Il accomplissait donc la tâche qui lui incombait avec sérieux. Son zèle lui valut d'ailleurs d'être remarqué par sa hiérarchie qui se félicitait de compter un élément aussi brillant dans ses rangs.

Outre le tri des devises, sa fonction lui permettait de confisquer l'alcool apporté par les nouveaux arrivants. Le soir venu, ouzo grec, cognac et sambuca italienne faisaient la joie des soldats allemands qui s'en partageaient le butin. Sa vie à Auschwitz était selon lui agréable. Il s'était lié avec deux de ses camarades de chambrée : Fränze Müller et Rike Schwarz. Tous trois avaient des personnalités très différentes mais parvenaient à se rejoindre sur certains points tels que le partage du butin dérobé au canada ou les soirées arrosées au « *Wein als Bier* ». Seul Schwarz conservait des scrupules et se contentait de se servir en alcool et cigarettes. Il laissait le reste à ses camarades à qui il avait juré le silence. Les deux autres avaient en effet trouvé une combine pour s'enrichir sur le dos des Juifs et de la sainte patrie. Chaque semaine, ils s'arrangeaient pour déposer dans leurs casiers quelques objets de valeur tels que montres ou bijoux en or, et leur petite entreprise s'avérait très rentable. Contrairement à ses camarades qui ne quittaient que très rarement l'enceinte du canada, Schüller avait le privilège d'assister aux sélections. Il n'était pas décisionnaire, seuls les médecins possédaient cet avantage, mais il se satisfaisait de sa situation qui lui permettait d'assouvir ses instincts sadiques. Surtout à compter de ce jour où il avait suivi un convoi de Juifs jusqu'à la chambre à gaz. Depuis, loin d'être choqué par le spectacle auquel il assista, on peut même dire qu'il y prit goût, il lui arrivait régulièrement d'attendre près des crématoires pour être aux premières loges du morbide spectacle offert par ces corps en voie de désintégration.

— Prêt pour le grand saut, Rike ? demanda Schüller en tapant sur l'épaule de son camarade.

— Je t'attendais, répondit Schwarz.

— Fränze nous accompagne ?

— Oui. Il ne devrait pas tarder.

Schüller attrapa deux bières dans son sac, en tendit une à Schwarz et fit sauter la capsule de la seconde à l'aide d'un briquet.

— Qu'est-ce qu'il fout ? Faudrait pas qu'il nous fasse louper le spectacle !

— Détends-toi, il va arriver. Il était si excité toute la journée que je pense qu'il ne ratera ça pour rien au monde.

— J'espère bien, répondit Schüller en avalant la dernière gorgée de sa *lager*. Je t'en ressers une ? ajouta-t-il en troquant sa bouteille vide contre la même, pleine.

— Non. J'ai pas fini la première.

— Comme tu veux. Moi ça me réchauffe. Il va faire froid ce soir et on devra peut-être attendre plusieurs heures avant de voir brûler ces bâtards.

Fränze Müller surgit de l'obscurité et d'un geste fit comprendre à ses camarades qu'il ne serait pas contre un petit remontant. Schüller lui lança une bouteille, et les trois hommes se mirent en route pour le crématoire I.

Un convoi avait fait son entrée à Auschwitz en fin de journée et ils savaient qu'il fallait entre une et trois heures pour voir les premiers « sélectionnés » entrer dans la chambre à gaz.

Ils s'installèrent avec les gardes et leurs chiens aux abords de la porte d'accès. Faisant régulièrement partie de l'équipe de transfert, Schüller connaissait parfaitement le lieu. Il commentait fièrement la visite qu'il offrait à ses camarades. Bientôt, ils virent s'approcher le groupe de détenus encadré par des gardes et des chiens. Femmes, vieillards, enfants s'approchaient lentement du bâtiment. Derrière le calme apparent dans lequel ils se déplaçaient, leurs yeux trahissaient la terreur. Les femmes serraient les jeunes enfants contre elles, pensant probablement pouvoir les protéger. Les hommes quant à eux, malgré un âge avancé pour la plupart, tentaient de réconforter tout le monde. On les fit entrer dans la pièce de déshabillage, puis dans les salles de douches. Pudiquement, certains tentaient de dissimuler derrière leurs bras un bout de sexe ou de seins, ce qui amusa fortement Schüller.

— Regardez-les, ces abrutis. Ils peuvent toujours cacher leurs p'tites bites circoncises. On le sait qu'ils sont Juifs. Des sales Juifs. Et vous allez tous crever, bande de pourritures !

On referma la porte de la chambre à gaz avant que ses propos n'arrivent aux oreilles des déportés et les gardes SS imposèrent le silence à Schüller. Afin que l'opération se déroule dans les meilleures conditions, les soldats avaient intérêt à ce que les internés ignorent tout de leur sort. Ils avaient été introduits dans le calme et tous s'attendaient à une douche.

Schüller, calmé, fut autorisé à rester près de l'entrée avec ses camarades Schwarz et Müller d'où, à travers un judas, ils observèrent à tour de rôle l'agonie des détenus. Face à tous ces corps nus et désemparés, Schwarz sentit une boule se former dans sa gorge. Il commençait à réaliser ce qui allait arriver à ces vieillards, ces femmes et ces enfants. Schüller affichait un sourire jubilatoire. Le spectacle allait commencer et il trépignait d'impatience.

Un SS ouvrit la vanne par laquelle il déversa du zyklon B et, alors que les pommeaux de douches restaient désespérément secs, le gaz se répandit lentement à travers toute la chambre. Les détendus commencèrent à éprouver une gêne respiratoire et peu à peu, on les sentit gagnés par une certaine agitation. Modérée au début, elle fit vite place à la panique. Les plus jeunes et les plus fragiles tombaient inanimés tandis que les plus résistants se marchaient les uns sur les autres. Ils s'escaladaient afin de se rapprocher le plus possible du plafond, là où l'air était encore respirable. Mais le gaz continuait sa lente progression pour devenir présent dans les moindres recoins de la chambre. Bientôt les trois camarades n'eurent plus qu'un immense tas de corps inanimés à contempler.

Schwarz se recula le premier et alluma une cigarette. Voilà ce qu'ils entendent par « se débarrasser » de ceux qui sont inaptes au travail. Cette exécution de masse interpella le caporal-chef qui n'avait jusque-là assisté qu'à des fusillades qu'il jugeait beaucoup plus « correctes ».

Il fit quelques pas en direction des dortoirs, attendant ses deux acolytes.

— Ben, où tu vas ? demanda Schüller.

— C'est fini, non ?

Hermann éclata de rire.

— Tu crois que je vous aurais emmenés ici juste pour voir ça ?

Il tapa sur l'épaule de Rike, geste qu'il avait pris l'habitude de faire et qui agaçait profondément ses camarades, et l'entraîna pour assister à la suite des opérations.

— Qu'est-ce qu'il se passe maintenant ? demanda Fränze.

— Ils vont attendre que les restes de zyklon s'évacuent et ensuite, ils vont les raser et leur prendre dents en or et derniers bijoux.

Schwarz et Müller semblaient ébahis par une telle organisation.

— On va avoir du boulot demain, les gars ! ajouta Schüller en sortant un litron de vodka de son sac.

Ils s'allongèrent sur le sol et firent circuler la chopine de mains de mains. En quelques minutes, la totalité du breuvage fut absorbé et une deuxième bouteille entamée. L'alcool aida Schwarz à se détendre tandis que ses compagnons s'esclaffaient au gré des blagues plus ou moins graveleuses qu'ils échangeaient. Hermann se levait de temps à autre pour surveiller l'avancement de la situation au niveau de la chambre. Pour rien au monde, il n'aurait voulu rater le spectacle de la crémation. Une heure et demie s'écoula avant que les premiers corps ne soient chargés dans l'ascenseur. Au niveau inférieur, le feu crépitait déjà. Les fours attendaient leurs premières victimes. Schüller fit signe à ses compagnons de le suivre. Ils descendirent au sous-sol en partageant quelques cigarettes et gorgées de vodka, et se mêlèrent au *Sonderkommando* préposé à la crémation. À nouveau, ils se trouvaient aux premières loges d'un abominable spectacle. Le binôme Müller et Schüller chargea les premiers corps. Selon la taille des

111

cadavres, on pouvait en mettre jusqu'à trois simultanément. Schwarz restait en retrait et regardait ses deux
camarades avec un mélange de dégoût et d'appréhension.
Sur leurs visages, il pouvait lire l'excitation et le plaisir
qui les envahissaient. Puis, inexorablement vint son tour.
Avec l'aide d'un membre de ce *kommando* très spécial, il
positionna trois cadavres dans le four. Deux femmes et un
enfant. Il détourna le regard. Impossible pour lui de rester
de marbre en accomplissant une tâche si horrible. Stoïque,
son camarade semblait totalement indifférent. Rike Schwarz
fit un pas en arrière et vomit le contenu de son estomac.
Excédé, Schüller le bouscula.

— Pousse-toi de là, mauviette et laisse-nous ta place !
« *Je te jure, Adolf Hitler, Führer et chancelier du Grand Reich
allemand, fidélité et bravoure. Je fais vœu d'obéir jusqu'à la
mort à toi et aux chefs par toi désignés. Que Dieu me soit en
aide !* »[1] déclara-t-il d'une voix forte et puissante.

Il chargea un nouveau corps et se planta, béat, devant
sa lente incinération. Il avait maintenant choisi un homme
grand et corpulent afin d'augmenter la durée de la
combustion. Il regardait les flammes prendre doucement
possession du cadavre.

Le corps se tordait et se contorsionnait à mesure que
le feu l'enveloppait. Puis il se produisit une chose surprenante. Le sexe du cadavre en combustion fut soudainement
pris d'une érection. Schüller devait en avoir une aussi,
tant la chose sembla l'exciter. Fränze Müller qui jusque-là
trouvait la soirée divertissante, fut lui aussi dérangé par
l'attitude de Schüller. Il se tourna vers Rike et eut pitié
de sa mine défaite.

— Viens, on se casse.

Hermann ne remarqua pas leur départ. Il resta jusqu'au
dernier corps, se délectant tel un vampire suçant le sang
de ses victimes sans jamais s'en rassasier.

---

1. Serment imposé à tous ceux qui entraient dans la SS.

27

25 septembre 1943

Mon cher journal, je t'avais abandonné. En réalité, je t'avais perdu. Un matin, après l'appel durant lequel nous restons de longues heures debout à l'extérieur, je ne t'ai pas retrouvé. Je t'avais comme à mon habitude dissimulé dans l'angle sous les premiers *koyas* et, quand je suis venue te chercher, tu avais disparu. Plusieurs jours ont passé et j'ai cru perdre la raison. À moins que je ne l'aie déjà perdue avant. Quand je relis mes mots du 11 septembre, cela me semble probable. Je divaguais ce jour-là. La faim sans doute. Ou la fatigue. Le désespoir peut-être.

Peu importe. Comment savoir de toute façon ?

Toujours est-il que je me suis mise à délirer. Je parlais à Isaac et aux enfants comme s'ils étaient à mes côtés, je marchais les deux bras serrés l'un contre l'autre comme si je portais un bébé : mon Hannah. Et je ne m'alimentais plus. Heureusement pour moi, Esther est venue m'aider. C'est une détenue, elle aussi. Une Juive française de Lyon. Elle m'a avoué s'être approprié mon carnet après l'appel, ce fameux matin. Mais face à la folie qui me gagnait, elle a été prise de remords. Elle m'a d'abord fait boire : l'eau non potable que, comme la majorité de mes camarades d'infortune, je refusais d'avaler jusque-là. « *Si tu regardes autour de toi, ce sont ceux qui n'en boivent pas qui meurent les premiers. Ils se déshydratent et dépérissent plus vite. Ceux qui s'y risquent au contraire s'en sortent mieux...* » m'a-t-elle dit. Alors j'ai bu. Puis j'ai mangé. Ma faible ration d'abord, ensuite des épluchures de pommes de terre que nous avons réussi à nous procurer toutes les deux. Le lendemain, elle a sorti mon cher carnet de sa poche et l'a tendu vers moi. J'ai versé quelques larmes. C'est comme si elle m'avait rendu ma raison. Depuis, Esther et moi sommes devenues amies. Je ne pensais pas que ce serait possible ici. Elle a tout juste treize ans et a échappé à la première sélection de l'arrivée en prétendant en avoir seize. Sans quoi elle serait morte à l'heure qu'il est.

Nous sommes un peu comme deux sœurs ou mère et fille, je ne saurais dire exactement. Toujours est-il que l'on essaie de s'entraider : quand nous devons nous déshabiller, nous nous gardons mutuellement les rares objets personnels que nous avons réussi à nous *organiser*. En ce qui me concerne, c'est surtout mon carnet qui m'importe. Et puis elle m'a convaincue de chanter. Oui, chanter. Ça peut paraître étrange ici, et pourtant, c'est comme un pied de nez aux nazis. Vous n'aurez pas notre cerveau ni notre raison. Nous survivrons. Je ne sais pas d'où Esther tient tout ce dynamisme et cette volonté de vivre mais je ne me plains pas. C'est contagieux. Chanter m'aide à ne pas perdre la raison. Et puis, je chante pour Hannah. Comme si je voulais la bercer pour qu'elle s'endorme, ou la faire sourire.

Nos vies sont maintenant rythmées un peu plus à notre façon. Et ça fait du bien. Nous redevenons maîtresses de nos vies. Dans la mesure du possible, bien sûr. Mais nous y croyons. Esther et moi nous cachons ensemble dans les latrines pendant que les autres détenues partent vers les *kommandos*. (La *lagerälteste* et Irma sont mortes, alors je suis tranquille maintenant.) À leur retour, nous nous mêlons au groupe pour l'appel. Pendant leur absence, nous nous asseyons dans un endroit assez protégé des kapos sur le trajet d'acheminement des denrées. Grâce à cela, il nous arrive assez régulièrement de ramasser une pomme de terre venue rouler à terre. Le soir, de retour au block, nous chantons. Je crois que nous nous en sortons plutôt pas mal par rapport aux autres. Quand je vois Mme Rosenberg, par exemple, je me trouve mieux lotie. Elle est arrivée bien après moi et pourtant, elle est déjà réduite à l'état de musulman. Je crains qu'elle ne passe pas les prochaines sélections.

27 septembre 1943

J'ai revu Isaac. Le pauvre, il est encore plus maigre que je ne l'imaginais, mais il m'a souri. Dire que nous sommes prisonniers à seulement quelques mètres l'un de l'autre et que nous ne pouvons ni nous voir ni nous parler. Mais j'ai ma petite combine. Avec Esther, on a réussi à soudoyer la *stubowa*. Contre différents objets que nous parvenons à nous assurer et à lui offrir, elle accepte de transmettre des mots au camp des hommes. J'écris à Isaac et Esther à son père. Quelques jours après, la *stubowa* nous transmet les réponses que nous attendons avec une impatience mal dissimulée. Parfois, faute de papier, Isaac me répond sur la feuille que je lui ai envoyée. Il semble désespéré. J'ai peur qu'il ne se laisse aller. J'ai pas osé lui dire pour les garçons. J'essaie de lui remonter le moral à travers mes petits mots. Te souviens-tu, Isaac, de ce merveilleux film que nous avions vu « *Yidl mitn Fidl* » ? Écoute, je vais te rafraîchir la mémoire :

« Iber felder vegn,
Oyf a vogn hey,
Mit zun un vint un regn,
Fom klezmer tsvey.
Zogt ver zaynen zey ?
Yild mitn fidl,
Arye mitn bas,
Dos lebn iza lidl. »[1]

---

1. « Par les champs, les chemins ; Sur un wagon de foin ; Au soleil, au vent, sous la pluie ; Vont deux musiciens ; Dis, qui sont-ils ? Yild avec son violon ; Arieh avec sa basse ; Cette vie est une chanson. » Extrait de la chanson du film éponyme « Yild mitn fidl » de 1936 - paroles d'Itzik Manger et musique d'Abraham Ellstein.

28

Le soleil se levait déjà sur Auschwitz quand Josef Meyer prit le petit déjeuner servi par Irena. Il buvait son café en admirant la beauté de cette femme. Jusque-là il ne lui avait porté que peu d'attention. À part pour les questions relatives à l'entretien de la maison, il lui arrivait rarement de discuter avec elle. À vrai dire, il ne l'avait même jamais vraiment regardée. Mais ce matin, il la trouvait belle. Ses cheveux blonds encadraient les traits fins de son visage et, malgré sa maigreur, elle avait conservé de belles formes. Sous sa blouse, ses seins fermes pointaient. Il lui fit signe de s'asseoir et lui proposa de boire un café en sa compagnie.

— Vous savez Irena, cela fait plusieurs mois que vous êtes dans cette maison à vous occuper de tout, sans rien dire, et je me rends compte que je ne sais que peu de chose de vous.

La jeune femme avala une gorgée du liquide brûlant sans oser regarder le médecin dans les yeux.

— Cette fichue guerre nous a tous transformés. Je n'étais pas le même homme avant, vous savez, ma femme pourrait en attester.

— Vous n'avez pas à vous justifier, *Herr* Meyer. Vous avez toujours été gentil avec moi. Je n'ai pas à me plaindre, prononça timidement Irena.

117

— Gentil ? Vous avez raison, ce doit être le mot. Mais lâche aussi. J'ai l'impression d'avoir perdu mon âme.

Le psychiatre secoua légèrement sa tête comme pour en chasser quelques idées noires.

— Et en plus je m'apitoie sur mon sort. Quel genre d'homme suis-je donc devenu ? Parlez-moi de vous plutôt. D'où venez-vous ? Quelle était votre vie avant toute cette horreur ?

— Je suis née à München où je vivais avec mes frères et mes parents jusqu'à ce que le parti nazi interdise les témoins de Jéhovah en Allemagne.

— Vous avez tous été emmenés ici ?

— Non, seulement mes parents et moi. Je ne sais pas où sont mes frères.

— Que s'est-il passé ?

— Par conviction religieuse, nous avons refusé de jurer fidélité au Reich et on nous a arrêtés.

— Et vos frères ?

— Je crois qu'ils ont accepté de renier notre religion pour servir dans l'armée allemande, répondit Irena honteuse.

— Vous leur en voulez ?

La jeune femme haussa les épaules en guise de réponse.

— Ils ont juste voulu sauver leur peau. On ne peut pas les blâmer pour ça, vous ne croyez pas ? ajouta Meyer pour la réconforter.

— Ils ont endossé l'uniforme nazi. L'uniforme de ceux qui nous refusent le simple droit d'exister !

— J'ai fait bien pire, vous savez. J'ai tout accepté pensant protéger ma famille mais c'est l'amour et l'estime de ma femme que j'ai perdus.

— Je prie chaque jour pour la mort d'Hitler. Sans cet homme, nous vivrions tous en paix entourés des gens que l'on aime.

Meyer regarda Irena avec tendresse.

— C'est grâce à vous, *Herr Doktor*, si je suis en vie. Sans votre maison, je serais restée de l'autre côté des barbelés et probablement morte à l'heure qu'il est.

— J'aurai au moins été utile à vous épargner.

Meyer se leva et fit quelques pas, songeur. Il repensa à sa conversation avec son secrétaire. Peut-être Zelmann avait-il raison, après tout. Il y a des choses qu'il pouvait faire sans prendre de risques. Il se retourna alors vers la jeune femme comme si une idée lumineuse venait de surgir dans son esprit.

— Vous savez quoi, Irena ? À compter d'aujourd'hui, je vais m'attacher à être votre ange gardien.

La jeune femme balbutia quelques mots de surprise et de remerciements.

— Et celui de Dariuz aussi, ajouta frénétiquement le médecin.

— C'est un homme à la santé fragile, vous savez. Il a peur.

— De quoi a-t-il peur ?

— De ne pas faire son travail suffisamment bien et d'être renvoyé au camp après avoir été remplacé par un plus robuste.

— Dans ce cas, rassurez-le. Je vais dès demain demander à notre lieutenant-colonel de m'octroyer un second homme de main pour l'aider. L'herbe pousse à une allure folle, cette année !

29

17 octobre 1943

Je suis à présent convaincue de survivre à tout ça. Grâce à Esther, j'ai repris confiance. Je n'ai plus peur. Quand j'ai soif, je bois. Je ne crains plus de mourir de dysenterie. Elle a raison, ce sont ceux qui ne boivent pas qui succombent le plus vite. Et puis, je m'économise. Cela fait plusieurs semaines que nous parvenons à échapper aux *kommandos*. Pas de travail, donc pas d'énergie gaspillée et moins de fatigue. Je vais tenir, maintenant je le sais. Par contre, j'ai peur pour Isaac ; le dernier mot que m'a transmis la *stubowa* était très succinct. Écrit d'une main que j'imagine tremblante et faible, j'ai à peine reconnu son écriture : « Résiste. Je T'aime. Ton Isaac. » « Toi aussi, tu dois vivre ! » lui ai-je répondu.

À l'extérieur, la guerre avance. Les nouveaux arrivants nous font part de l'actualité. Il paraît que Mussolini a été vaincu si bien que l'Italie s'est rangée du côté des alliés. Bientôt, ce sera au tour de l'Allemagne de capituler, j'en suis certaine, et je pourrai te retrouver, Hannah. Dès ma libération, je me mettrai à ta recherche et je te le promets, nous ne nous quitterons plus jamais.

20 octobre 1943

Une kapo nous a repérées, Esther et moi. Elle nous a battues à coups de *schlague*[1] après quoi elle nous a affectées au *kommando* de terrassement : un des plus éprouvants. Le matin, après l'appel, (cet interminable appel) on nous conduit aux latrines. Mais plus question de nous y cacher, elle nous a à l'œil. Nous nous efforçons toutes de faire nos besoins car sinon il faudra attendre la fin du travail. Celles qui ne pourront pas se retenir jusque-là risquent de subir la mauvaise humeur des kapos. J'ai entendu dire que certaines détenues ont été noyées par des surveillantes pour avoir souillé le sol. Après cette halte, nous nous mettons en route pour notre lieu de travail. Nous sommes chargées de faire du ciment que l'on transporte ensuite dans des sortes de brouettes. Les charges que nous manipulons sont presque aussi lourdes que nos corps et le chemin du retour est extrêmement pénible tellement nous sommes exténuées.

Je n'ai plus beaucoup de forces pour chanter mais j'essaie quand même de temps en temps. Avec Esther, c'est notre façon de résister.

25 octobre 1943

« Achtung ! »[2] « Schnell ! » Ce *kommando* me tuera. Comme j'envie mes camarades qui travaillent au potager des SS. C'est beaucoup moins pénible et en plus, elles peuvent s'organiser quelques betteraves ou feuilles de choux qui raviraient mon estomac. Par chance Simone, une de mes camarades du block 30, y est affectée. Chaque soir, elle nous rapporte un petit complément à notre infâme soupe. Ce n'est rien d'autre que de l'eau chaude en réalité. Tous les légumes restent au fond de la marmite et ce sont

---

1. Matraque, trique. Vient de l'allemand *schlagen* qui signifie battre.
2. Attention !

les kapos qui les mangent. Mais grâce à Simone, Esther et moi pouvons, nous aussi, y ajouter un petit morceau de légume.

Heureusement que je n'ai pas de miroir car je crois avoir beaucoup dépéri depuis mon affectation au *kommando* de terrassement. Ce n'est pas un travail de femme. Même pour un homme en bonne santé c'est harassant, tant les charges sont lourdes à manier dans le vent déjà glacial de cette fin octobre. Ces derniers jours ont vu s'envoler mon espoir de m'en sortir. Comme me l'ont soufflé certains kapos à mon arrivée : on entre ici par la porte et on repart par la cheminée. Je crois qu'il faut regarder les choses en face. Il n'y a pas d'autre issue possible. Je suis trop faible pour résister.

30

— Je sais ce qu'il se passe ici ! Je sais comment on se débarrasse des détenus ! C'est monstrueux ! cria Rike en pénétrant dans le bureau de Josef Meyer.

— Calmez-vous, caporal-chef Schwarz. Prenez une chaise et respirez.

— Me calmer ? J'ai assisté à une crémation, hier soir. J'ai tout vu. Comment on leur ment, comment on les tue, comment on les brûle. Pourquoi ? Est-ce vraiment nécessaire ?

— Que voulez-vous que je vous réponde ? C'est la guerre, voilà tout.

— La guerre ? Je les ai entendus frapper contre les murs, crier comme des bêtes pendant d'interminables minutes ! Ce ne sont pas des soldats ennemis ! Ce sont des enfants, des femmes, des vieillards ! Que faisons-nous, *Herr Doktor* ? Que faisons-nous ?

— Calmez-vous, caporal-chef ! C'est un ordre ! répéta Meyer en frappant son poing sur la table. Et parlez moins fort, s'il vous plaît, ajouta-t-il beaucoup plus bas.

Rike Schwarz balbutia quelques mots avant de fondre en larmes.

— Que faisons-nous, *Doktor* ?

— Nous sommes ici dans un camp d'extermination, Rike, c'est pour supporter ces atrocités que vous avez droit à un traitement de faveur, si je peux me permettre l'expression.

— Un traitement de faveur ?

— Plus d'alcool, plus de nourriture, plus de confort...

— Tout est fait pour récompenser les plus zélés, ajouta Schwarz comme s'il venait juste de comprendre.

— Exactement. Mais vous ne vous doutiez de rien ?

— Si, bien sûr. Il y a cette odeur atroce de corps brûlés. Mais d'avoir vu tout ça hier soir... Non, je n'imaginais pas une telle horreur...

Schwarz se leva et fit le tour du bureau, perplexe.

— Mais vous, *Doktor*, que faites-vous exactement ? demanda-t-il soudain inquiet.

— Pour être tout à fait honnête, Rike, je suis là pour dénoncer les soldats comme vous.

Le caporal-chef se figea, réalisant que sa faiblesse allait lui coûter la vie.

— Rassurez-vous, je n'en ferai rien.

— Ça signifie qui si vous faisiez ce que l'on attend de vous, je serais bon pour la rôtisserie ?

— Sans vouloir être cynique, pour les SS, ils préfèrent une balle dans la nuque.

Schwarz se laissa tomber en avant et prit sa tête entre ses deux mains. Le médecin s'approcha de lui et l'aida à se relever.

— Essayez d'oublier ce que vous avez vu hier et contentez-vous de faire votre travail au canada. De mon côté, j'appuierai votre dossier afin qu'on ne vous change pas d'affectation. C'est au tri des devises que vous êtes le plus préservé par les pratiques du camp.

Le caporal-chef sembla se ressaisir un peu. Il tira une cigarette de sa poche et l'alluma à l'aide du briquet que lui tendait Meyer. Il en aspira quelques bouffées, le regard lointain puis il se leva et s'approcha de la fenêtre. Dehors, ça grouillait. Des milliers de tenues rayées se hâtaient pour un bol de soupe. Il resta quelques minutes avant de se retourner brusquement vers Meyer. Ses talons claquèrent l'un contre l'autre alors qu'il tendait son bras pour saluer le médecin.

— Dans quelques mois, la guerre sera finie et vous et moi reprendrons une existence plus paisible, tenta le médecin.

— Vous croyez vraiment à ce que vous dites ? Que nous pourrons vivre avec ça sur la conscience ?

— Je m'efforce de m'en convaincre, en tout cas.

31

2 novembre 1943

J'ai revu le monstre, l'assassin de mes enfants. Cet être abject dont la seule vue me révulse. Nous travaillions près des rails quand un convoi est arrivé. Le train provenait de Hongrie et ne transportait que de jeunes enfants séparés de leurs parents. Quelques minutes plus tard, Mengele a fait son apparition pour les trier. Vêtu de blanc comme à son habitude, il arborait un large sourire laissant apparaître ses dents du bonheur. Petit brun avec les yeux qui louchent, il n'avait décidément rien d'un Aryen si ce n'est une méchanceté et une cruauté sans faille. C'est encore une fois en sifflant l'air de la Tosca qu'il a fait le tour des bambins. Il a choisi une vingtaine d'enfants très blonds au regard azur avec parmi eux plusieurs paires de jumeaux. J'ai cru revoir Éli et Moshe et j'ai pleuré. Puis ils leur ont distribué du pain et de l'eau et les ont laissés seuls pendant que le reste du convoi était conduit à la chambre à gaz. Certains des enfants dormaient couchés à même le sol alors que d'autres jouaient avec de la terre. Tous étaient terrorisés. J'aurais voulu les aider à se sauver pour leur éviter les sévices du docteur Mengele, mais c'était impossible. Les Allemandes, aidées de leurs chiens, veillaient à ce que nous ne quittions pas notre poste de travail. Je leur ai malgré tout fait quelques signes leur suggérant de s'échapper. Mais en vain. Comment auraient-ils pu savoir que sous ses faux airs gentils, le mélomane souriant était en réalité un monstre s'apprêtant à les transformer en cobayes humains ? Et où seraient-ils allés ?

Avec mes camarades, nous avons continué notre labeur jetant de temps à autre quelques regards bienveillants à ces têtes blondes. En milieu d'après-midi, Mengele réapparut. Il fit distribuer des ballons multicolores aux enfants et joua avec eux. Pendant plus d'une heure, il se montra aussi gentil et attentionné que possible. Puis soudain, il ordonna au kapo de retirer tous les ballons et nous les offrit le sourire aux lèvres. « Bientôt, ils n'en auront plus besoin ! » ajouta-t-il. Quelques instants plus tard, il nous demanda de creuser une tranchée autour des enfants. Quand le trou fut suffisamment profond, il y déversa de l'essence, y fit descendre tous ces innocents apeurés et les brûla vifs. Il nous força à regarder ces pauvres enfants souffrir le martyre. Jamais nous n'avions assisté à spectacle plus atroce. Nous avons crié, hurlé, pleuré, vomi. Certaines d'entre nous se sont agenouillées pour tenter de sauver un enfant du bûcher. Elles furent à leur tour poussées dans le trou.

Jamais je n'oublierai. Même si je survis, rien ne sera plus jamais pareil. Mes enfants sont morts, mes parents sont morts, la faim, la soif, les coups, les humiliations, les souffrances physiques et ces atrocités que nous devons endurer. Jamais nous n'oublierons. Jamais. Et dans ces moments-là, c'est toujours à toi que je pense, Hannah. Vis, s'il te plaît, vis. Tu es mon unique espoir.

6 novembre 1943

Je suis au repos depuis trois jours. Le lendemain des atrocités perpétrées sous mes yeux par Mengele, un wagonnet rempli de ciment m'est tombé sur la jambe droite, me clouant au sol. Le chemin du retour fut interminable. Je parvenais tout juste à me maintenir debout mais impossible de marcher. Esther et Yvonne, une Française d'à peu près mon âge, m'ont heureusement soutenue tout le trajet. La douleur était terrible mais moins que ma crainte de recevoir un coup de fusil. Les SS ne s'encombrent généralement pas des blessés. Ils les fusillent et demandent ensuite aux autres détenus de creuser un trou pour y entasser les corps. Mais grâce à mes amies, j'ai la vie sauve. À l'appel du lendemain matin, j'ai été conduite au *Revier*. Quelle aubaine ! Plus de travail pendant quelques jours. Par contre, nous y sommes si nombreuses en ce moment qu'il est difficile de se reposer. Tant pis. Au moins, je suis à l'abri du froid et plus de charges à manier. Mes amies me manquent, mais heureusement, j'ai toujours mon précieux carnet. C'est presque un miracle d'avoir réussi à le garder. Sur la couverture, j'y ai inscrit ces quelques caractères qui sont à jamais gravés sur mon avant-bras : A-71935.

32

Un rayon de soleil filtrait depuis quelques heures déjà à travers les rideaux de sa chambre quand Josef Meyer émergea en ce jour de novembre. Sa tête semblait peser une tonne et pas moyen d'arrêter les piverts qui œuvraient à l'intérieur. Alors qu'il se tournait sur le côté droit, espérant atténuer la douleur, son corps s'écrasa lourdement sur le sol. Il tenta d'ouvrir les yeux mais ses paupières refusèrent d'obéir. De ses mains, il se mit à tapoter les alentours à la recherche d'un appui pour se relever et rencontra plusieurs bouteilles vides éparpillées près de son lit. Quelques vagues souvenirs de la soirée lui revinrent alors. À ce moment-là, Irena fit irruption dans la chambre.

— Tout va bien, monsieur ? J'ai entendu un bruit et...

— Tout va pour le mieux, ne vous inquiétez pas, articula Meyer en se frottant la tête.

— C'est qu'il est déjà presque midi et ce n'est pas dans vos habitudes de vous lever si tard.

— Tout va bien, je vous dis, grommela-t-il à nouveau. Allez plutôt me préparer un café bien fort au lieu de rester plantée là.

La jeune femme sortit sans demander son reste tandis que le médecin se dirigeait vers la salle de bain. Un peu d'eau fraîche sur le visage ne devrait pas lui faire de mal. Il s'approcha du miroir et ajusta ses lunettes comme pour vérifier que l'image renvoyée était bien la sienne. Il se rendit compte qu'il portait toujours les vêtements de la veille. Ça ne lui ressemblait pas mais il s'était visiblement couché tout habillé. Il laissa glisser ses habits sur le sol et entra dans la cabine de douche. Sous l'effet du jet glacé, il reprit peu à peu ses esprits. Il se revit au comptoir du « *Wein als Bier* » alignant cognac sur cognac, puis schnaps, bières, vodka et un savant mélange de toutes les bouteilles qu'il apercevait. La veille au soir, rien autour de lui n'avait pu le détacher des verres d'alcool qu'il avalait à une cadence très inhabituelle. Il se souvint que le barman et quelques officiers avaient tenté d'engager la conversation mais il n'était pas d'humeur à parler. Voilà des semaines qu'il n'avait pas eu de nouvelles d'Angela. Depuis la disparition de leur fille, elle avait beaucoup changé. Elle ne répondait plus à ses lettres et refusait plus fermement que jamais de le rejoindre en Pologne. Il n'avait pas su trouver les mots pour l'aider à reprendre pied après la mort de Lily. Avait-elle cessé de l'aimer ? Le tenait-elle pour responsable de leur malheur ? Il lui faudrait désormais vivre sans savoir. La veille, il s'était senti si profondément désemparé que seul l'alcool avait eu le pouvoir de combler ce vide qui l'habitait. Il avait passé la soirée tellement obnubilé par son verre qu'il n'avait pas remarqué la présence de Schüller à l'autre bout du comptoir. C'est peut-être la seule chose qui aurait pu le faire s'arrêter de boire avant de s'écrouler de son tabouret. Quoique. Jamais il n'aurait pu imaginer que lui, le médecin, le psychiatre, l'homme qui comprend si bien le cerveau humain, pouvait se laisser aller au point de se faire raccompagner ivre mort au petit matin par un type comme Schüller. Quelle déchéance !

Il attrapa une serviette, se rasa grossièrement et enfila un pantalon propre et frais. Dans la salle à manger, un petit déjeuner l'attendait. Il s'assit, avala d'un trait une grande tasse de café et essuya une larme qui perlait sous sa paupière. Debout à l'autre bout de la pièce, Irena l'observait sans rien dire.

— Des attaques ont été menées contre Berlin en début de semaine, commença-t-il.

Sous la table, Yull le fidèle braque semblait sentir le désarroi de son maître et approcha son museau de sa main. Josef le caressa un instant puis des sanglots dans la voix, il ajouta :

— Ma femme y a perdu la vie.

Les bombardements commencés quelques mois plus tôt, continuaient à sévir sur le territoire du Reich, et le moral des populations civiles en souffrait. Durant la nuit du 22 au 23 novembre 1943, un raid important s'abattit sur Berlin causant d'importants dommages et de nombreuses victimes. Réfugiée chez une amie, Angela Meyer y trouva la mort. Une mort libératrice pour cette femme qui avait déjà tout perdu : sa fille unique et un mari qu'elle ne comprenait plus.

Alors qu'il avait su enfouir au plus profond de lui le chagrin causé par la disparition de sa petite Lily, l'annonce de la mort de sa femme lui fit l'effet d'une bombe. Tout remonta brusquement, le dévastant totalement. Il aimait Angela. Follement. Il n'avait d'ailleurs jamais aimé qu'elle. Et pourtant, il n'avait pu empêcher la perte de leur enfant suivie par la rapide descente aux enfers de l'amour de sa vie. Pour qui vivra-t-il maintenant ? À quoi se raccrocher ? De quels espoirs seront nourris ses moments de solitude ? Le plus simple n'est-il pas d'en finir ? Depuis la veille, il caressait longuement du regard l'arme accrochée à sa ceinture. La meilleure chose à faire était de quitter cet endroit infâme pour rejoindre à jamais celles qu'il aimait. Il en était à présent convaincu.

33

20 novembre 1943

Il y a eu une sélection préliminaire au *Revier*, hier matin. Nous avons dû défiler nues devant Mengele pendant qu'il notait les numéros de celles qui seraient conduites à la mort. Mais il n'a pris personne. Il va revenir, c'est certain. Il fait parfois ça, le sadique. Histoire de nous maintenir un peu plus en état de terreur. Comme s'il nous restait une once de sérénité. En attendant, j'essaie tant bien que mal de trouver un peu de repos. Ici, les *koyas* sont remplacés par des lits en bois à trois étages sans sommiers ni ressorts. Nous sommes allongées les unes sur les autres, trois dans un sens et trois dans l'autre, sur une fine paillasse remplie de copeaux de bois. Quand je regarde mes camarades, je réalise que je ne suis pas la plus mal en point. Ma voisine porte une plaie béante au niveau du visage. Une kapo l'a battue pour avoir tenté de s'organiser un quignon de pain supplémentaire. Elle a beaucoup de mal à parler et ne voit plus que d'un œil. La doctoresse est de bonne volonté mais dispose de peu de moyens pour nous soulager.

21 novembre 1943

J'ai tenu la main de Mme Rosenberg toute la nuit. Elle a été admise au *Revier* en fin d'après-midi dans un piteux état. Le typhus, je pense, bien que les doctoresses n'aient pas eu le temps d'en établir le diagnostic. Curieusement, la voir dans cet état m'a rendu un semblant d'humanité. Moi qui croyais avoir perdu tout sens moral, toute empathie, j'ai eu pitié d'elle. À aucun moment, je n'ai craint de contracter sa maladie ou peut-être cela m'était-il égal. Brûlante de fièvre et secouée par de violentes quintes de toux, je ne suis pas certaine qu'elle m'ait reconnue. De son délire, j'ai pu comprendre quelques mots qui tous faisaient allusion à sa vie d'avant le camp. Ses mondanités, ses nombreux amants et sa musique. Surtout sa musique. Son unique raison de vivre. Si elle avait pu intégrer l'orchestre du camp, je suis sûre qu'elle s'en serait mieux tirée. Mais pour une Juive, même virtuose, c'est interdit. J'ai éponqé son front, serré sa main dans la mienne et lui ai fredonné de doux airs à son oreille. Des chansons apaisantes que j'avais coutume de chanter à mes enfants. Au petit matin, elle s'est endormie pour toujours. J'ai baissé ses paupières et je l'ai remerciée de m'avoir, l'espace d'une nuit, permis de me sentir à nouveau humaine.

22 novembre 1943

Ce matin, plusieurs de mes camarades ne se sont pas réveillées. Je me suis proposée pour aider la doctoresse et la kapo à évacuer les corps. Ça m'a valu une ration supplémentaire pour le déjeuner. De toute façon, ça ne me fait plus rien de toucher des cadavres. C'est mon quotidien, alors si ça peut m'aider à survivre, pourquoi pas ?

25 novembre 1943

Encore une fois je suis passée au travers. Mengele est revenu et a emmené les plus malades d'entre nous. Du coup, entre celles qui étaient mortes avant et celles qui sont parties pour la chambre à gaz, il y a un peu plus de place. C'est terrible de penser des choses pareilles mais ici, tout est si différent. Nous ne sommes plus des êtres humains. Nous sommes des sortes de loups. Ma jambe me fait toujours un peu souffrir, mais elle se remet doucement. Je continue à prêter main-forte à la doctoresse pour évacuer les corps sans vie de mes camarades. Le repos et les rations supplémentaires m'ont permis de reprendre quelques forces. Je me suis remise à chanter, ça m'aide aussi à tenir le coup. Je me demande si Esther est toujours en vie. Tout peut changer si vite dans cet endroit. Et toi, Isaac, te reverrai-je un jour ?

34

Il n'avait pas trouvé le courage d'appuyer sur la détente de son revolver, mais n'ayant à présent plus rien à perdre, Josef Meyer avait décidé de changer de position.

Les disparitions successives de sa fille et sa femme lui avaient fait l'effet d'un électrochoc. Il avait subitement pris conscience de sa faiblesse et de sa lâcheté. Il pensa à Irena, à Dariuz, à Rike Schwarz et à tant d'autres. Il était encore temps de faire quelque chose. En se taisant pour sauver sa famille, il l'avait condamnée et jamais il ne se le pardonnerait. Pour ne pas sombrer dans la folie, il devait réagir. Lui le lâche, le gentil toujours prêt à rendre service, à partir d'aujourd'hui serait un traître.

Dès le lendemain matin, il fit irruption dans le bureau de Höss pour exiger du personnel supplémentaire dans sa villa. Là au moins, les détenus seraient à l'abri. Plus il en aurait à son service et plus il en épargnerait. Avec le commandant, il était en position de force. Même si celui-ci venait d'être promu responsable en chef des camps, Meyer avait une certaine emprise sur lui. Il l'avait surpris avec Eleonore, la prisonnière autrichienne qui travaillait dans sa villa, et Höss craignait d'être dénoncé. Il obtempéra donc sans chercher à savoir si une augmentation de la main-d'œuvre chez Meyer était vraiment justifiée. Deux jours après, Magda et Anatol s'installèrent chez le médecin. Dariuz fut rassuré sur son sort et son travail s'en trouva allégé. Irena, quant à elle, commença à considérer l'homme sous un autre angle.

Dans son cabinet de consultation aussi, les choses allaient évoluer. Fini le temps où il se contentait de consigner ses entretiens dans des registres sans tenter quoi que ce soit. Zelmann avait raison : tout n'était pas perdu. Qu'il le veuille ou non, l'horreur continuerait mais l'infime partie qu'il parviendrait à modifier serait toujours ça de gagné. Cette décision semblait avoir rallumé quelque chose en lui et ça devenait maintenant une question de survie. Et puis il y avait les yeux d'Irena. Elle ne le regardait plus de la même manière et il aimait ça.

Avec Hermann Schüller bien sûr, il aurait du mal. Surtout que ce dernier l'avait raccompagné dans un drôle d'état, cette fameuse nuit. Ils ne s'étaient pas revus depuis, le caporal-chef ayant quitté le camp quelques jours pour une permission. Les deux hommes avaient rendez-vous à quinze heures pour leur séance hebdomadaire. Un entretien que Meyer avait préparé bien plus que les autres.

Confortablement installé derrière son bureau, le psychiatre tirait profondément sur sa cigarette, le regard rivé sur la pendule. Il connaissait bien l'homme et s'amusa de le voir apparaître à l'heure tapante.

— *Heil Hitler* !

— *Heil Hitler* !

Sans se lever, le médecin désigna le siège sur lequel prit place le SS.

— Alors, vous avez repris vos esprits, *Herr Doktor* ? commença-t-il sarcastique.

Le médecin afficha un léger sourire.

— Un moment de faiblesse, n'en parlons plus, voulez-vous ?

Schüller acquiesça laissant le médecin prendre les rênes de la discussion.

— Parlez-moi de votre permission. Tout s'est bien passé chez vous ?

— Parfaitement. Mes parents m'accueillent comme un héros, maintenant, et je vous avoue que ça ne me déplaît pas. Il faut dire que quand je regarde mon père depuis quelque temps, j'ai un peu pitié.

— Pitié ?

— Oui, si ce n'était pas mon père… L'Allemagne n'a que faire d'individus comme lui. Hitler a besoin d'hommes forts, de guerriers.

— D'hommes comme vous, en somme.

— Exactement, *Doktor* !

— Mais j'avais cru comprendre que vous admiriez votre père ?

— Avant oui, je l'estimais. Mais il n'a jamais eu la carrure de mon grand-père.

— De l'estime à la pitié, il y a de la marge.

— C'est qu'il est devenu si passif. Comme si le fait d'avoir son fils unique au service du Reich suffisait à faire de lui un héros.

— Vous n'appréciez pas d'être devenu la fierté de votre père ?

— Si, mais cela a contribué à changer mon regard sur lui. À détruire l'estime que j'avais pour lui. Pour mériter mon respect, un homme doit m'impressionner.

— Comme notre Führer.

— Exactement.

— Alors, moi aussi, vous me méprisez.

— Vous faites allusion à votre cuite ?

— Un moment d'égarement.

— C'est aussi comme ça que je l'ai compris, assura Schüller. Et puis vous êtes mon supérieur et à ce titre, je vous respecte.

— Vous me voyez rassuré, ajouta ironiquement Meyer.

— Comme vous, il m'arrive de boire plus que de raison pour calmer mes ardeurs.

— Quelles ardeurs ?

— Je voudrais être plus actif, vous comprenez. Depuis mon arrivée, je demande à être affecté aux sélections ou aux crématoires mais pour l'instant, je n'ai pas été entendu.

Intrigué, le psychiatre inclina légèrement sa tête pour inciter Schüller à poursuivre sa confession. Il le laissa déblatérer sur sa vision des hommes comme lui et des autres qu'il méprisait au plus haut point. Sa dévotion au Reich était sans limite. De temps à autre, Josef Meyer jetait des regards à Zelmann qui notait scrupuleusement tout ce qui se disait. Le médecin se demanda comment son secrétaire pouvait rester si impassible en entendant de tels propos.

Une heure et demie plus tard, Schüller se leva enfin pour prendre congé. Il s'apprêtait à saluer le psychiatre mais semblant se souvenir de quelque chose, il se ravisa. Il fourra sa main dans la poche de son uniforme d'où il retira un article du journal *Der Sturmer*[1] soigneusement plié. Il l'ouvrit et le tendit à Meyer, le sourire aux lèvres. Le médecin put lire la nouvelle qui ravissait tant le caporal-chef. Julius Streicher y signait un article rendant hommage au Reich et à son guide : « *Il est un fait certain, c'est que les Juifs, à proprement parler, ont disparu d'Europe et le réservoir juif de l'Est qui a fourni depuis des siècles la pestilence juive en Europe a cessé d'exister. Mais au début de la guerre, le Führer du peuple allemand avait prophétisé tout ce qui se passe actuellement.* »

— *Heil Hitler, Herr Doktor* !

_____

1. Journal de propagande à caractère antisémite.

35

27 novembre 1943

Malgré la plaie toujours ouverte, je remarche enfin presque normalement et même si elle apprécie mon aide, la doctoresse ne va pas pouvoir me garder éternellement. Pour ma part, je ne suis pas pressée de retourner dans un *kommando*. Je savoure chaque instant de répit. Je chante et laisse mon esprit s'égarer en des temps meilleurs. Je repense à notre noce, Isaac. Nous étions habités par une joie et un bonheur si intenses. Je me souviens que je souriais béatement tant j'étais heureuse. Devenir Mme Isaac Lindbergh suffisait à me combler. Nous avons dansé, dansé. Où es-tu, Isaac mon amour ? Danse encore avec moi. Viens me chercher. Sauve-moi, Isaac. Sauve-nous ! De nos familles et nos amis présents à notre mariage qui reste-t-il aujourd'hui ? Combien sont encore en vie ? En quelques mois, tant de destins brisés, d'existences anéanties, de familles éliminées. Pourquoi ?

Isaac, nous devons survivre à tout ça. Retrouver Hannah et réapprendre le bonheur. Sans nos fils. Sans nos parents. Sans nos amis… Ce sera difficile mais nous devons y arriver. Hannah saura nous aider.

36

Une des premières actions de Josef Meyer pour ce qu'il qualifiera plus tard sa période d'insoumission fut d'alerter le juge SS Konrad Morgen[1] à propos de la forte corruption qui faisait rage à Auschwitz. Grâce à Schwarz, il connaissait parfaitement les habitudes et modes de fonctionnement des soldats du canada, ne lui restait plus qu'à trouver comment s'y prendre. Le hasard voulut qu'un colis contenant trois blocs d'or qu'un infirmier tentait d'envoyer à sa femme attira l'attention. Il pesait si lourd qu'il fut déballé par l'équipe de contrôle du camp. Meyer eut vent de l'affaire et en informa le juge Morgen qui ouvrit immédiatement une enquête sur les SS du KZ. Il arriva à Auschwitz par une pluvieuse matinée d'automne où il fut froidement accueilli par le commandant. Rudolf Höss considérait cette intrusion d'un très mauvais œil et voulut s'arranger pour que l'enquête avance au plus vite mais sans dévoiler les secrets du camp. N'accordant plus confiance à ses hommes de main, le lieutenant-colonel chargea Josef Meyer d'apporter les éléments nécessaires au travail du juge Morgen. Seul le psychiatre trouvait encore estime à ses yeux. De plus, il pensait pouvoir compter sur sa discrétion en ce qui concernait sa relation avec Eleonore.

---

1. Juge allemand chargé de lutter contre la corruption des SS à l'intérieur des camps de concentration et d'extermination.

Meyer se félicita de cette décision et fit son possible pour discrètement dévoiler les facettes les plus désastreuses de l'endroit. Durant une semaine, il guida Konrad Morgen à travers tout le KZ. Le juge voulait tout voir, tout savoir sur les pratiques du camp. Il prit vite connaissance des exécutions de masse mais ne put étendre son enquête. De Berlin, il avait entendu le Führer parler de massacre des Juifs, c'était donc normal que les hommes obéissent aux ordres. Cependant, il fut interpellé par les fusillés du mur. Là, il n'était plus question de Juifs. La plupart des exécutés étaient des Polonais de toutes confessions. Il demanda alors à Meyer de le conduire jusqu'au bureau du docteur Wirths, médecin-chef du camp.

— *Heil Hitler* !

— *Heil Hitler* !

— SS-Standortarzt[1] Wirths, laissez-moi vous présenter le juge Morgen, commença Meyer.

Le médecin-chef fit entrer les deux hommes dans son bureau.

— Je n'irai pas par quatre chemins, commença le juge. Je suis initialement ici pour enquêter sur la corruption qui semble régner dans nos rangs, mais j'ai été surpris par certaines de vos pratiques.

Eduard Wirths balbutia quelques mots.

— J'ai eu vent des exécutions de masse ; en revanche, j'ai noté que les fusillés du mur noir apparaissent dans vos rapports parmi les morts naturelles. Pouvez-vous m'expliquer ce qu'une balle dans le corps a de naturel ?

— Rien, bien entendu, répondit Wirths. Je suis ici depuis un an et j'ai moi-même fait d'étranges découvertes en prenant mes fonctions.

— Je vous écoute.

---

1. Médecin-chef du HKB. Il a sous ses ordres les autres médecins.

— Tout d'abord, je suis heureux que le docteur Meyer soit là aussi car nous avons tous les deux longuement discuté de ce que je vais vous relater.

— Parfait, allez-y.

— Très vite après mon arrivée, j'ai compris que la médecine n'avait plus grand-chose à voir avec ce pour quoi j'ai choisi d'en faire mon métier.

Désignant une chaise, Konrad Morgen interrogea Wirths du regard.

— Bien sûr, asseyez-vous, excusez-moi.

Le médecin-chef du camp demanda à son assistant de leur servir une boisson chaude et s'installa en face du juge.

— Tout d'abord, je tiens à rappeler que l'on m'a muté ici pour que je vienne à bout du typhus exanthématique qui sévit parmi les détenus et menace de contaminer nos troupes. Malheureusement, j'ai découvert à côté de cela d'autres prérogatives beaucoup moins banales, dirons-nous.

— Où en êtes-vous concernant le typhus ?

— J'ai bon espoir. J'ai stabilisé l'épidémie et j'espère bientôt en inverser la courbe. Mais ce n'est pas le sujet, n'est-ce pas ?

— Non, vous avez raison. Je vous parlais des fusillés du block 11.

— Quand j'ai constaté que ces morts étaient comptés parmi les malades, je suis intervenu auprès de mes subordonnés pour faire cesser ce genre de pratique mais je n'ai pas le pouvoir de stopper les tueries. D'autant qu'ils ont le soutien de Höss. Alors, que voulez-vous faire ?

— Vous voulez dire que votre lieutenant-colonel est au courant ?

— Comment pourrait-il l'ignorer ?

Le juge se tourna vers Meyer, silencieux depuis le début de la conversation.

— Vous êtes d'accord avec ce que vous venez d'entendre, *Herr Doktor* ?

— Totalement. Le commandant sait parfaitement tout ce qu'il se passe ici, y compris pour la corruption dont il est lui-même coupable. Quant à *Herr Doktor* Wirths, il est le plus juste possible. C'est lui qui a envoyé Entress à Monowitz quand il a découvert les injections au phénol pratiquées sous ses ordres. Notre médecin-chef a aussi décidé qu'il était plus justifié que ce soit nous, médecins, qui devions nous livrer aux sélections ordonnées par Himmler, car nous sommes mieux à même de juger si un détenu est apte au travail ou non.

— Oui, je commence à comprendre.

Konrad Morgen se leva et ramassa sa sacoche.

— Je crois que j'en ai assez entendu, *Herr Doktor* Wirths. Je ne vais pas vous déranger plus longtemps.

Il se tourna vers le psychiatre.

— Venez, il faut que vous me parliez de votre lieutenant-colonel Rudolf Höss.

Meyer s'efforça d'être le plus juste possible dans sa description du commandant. Le juge Morgen nota scrupuleusement toutes les informations recueillies dans un cahier noir sans aucun commentaire. Il termina sa visite du camp par le canada où il fit sauter les cadenas des casiers suspects. Fränze Müller et plusieurs de ses camarades furent confondus pour corruption et emprisonnés. Hermann Schüller, en permission ce jour-là, passa au travers des mailles du filet. Quand il rentra au camp, il découvrit des scellés sur son casier. Müller n'étant plus là, il demanda à Schwarz de l'aider à en démonter le fond pour récupérer le butin caché à l'intérieur. Son plan fonctionna à merveille puisque quand le juge Morgen procéda à l'ouverture de son casier, plus rien de compromettant ne s'y trouvait. Quelque temps après, il fut même élevé au grade de sergent[1].

---

1. *SS-Unterscharführer.*

37

28 novembre 1943

La plaie de ma jambe semble vouloir se résorber et je me déplace moins difficilement. J'ai quitté le *Revier* ce matin pour le Sauna où après la douche et la tonte de mon crâne, on m'a donné des vêtements propres. Ça fait du bien. Les autres étaient extrêmement sales avec le côté droit maculé du sang séché laissé par ma jambe lors de l'accident au *kommando*. Ce soir, il va falloir que je couse mon matricule sur ces nouveaux habits. 71935, ce chiffre me poursuivra jusqu'à ma mort.

Dès demain, je devrais reprendre le travail. Malgré le retour à ce pénible *kommando*, je suis heureuse de retrouver mes amies.

29 novembre 1943

Esther et Yvonne me semblent avoir encore maigri. Je me fais du souci pour Esther. Elle est si jeune. Où trouve-t-elle la force d'endurer tout ça ? Si j'avais son âge, je crois que je me serais laissé mourir depuis longtemps. Moi heureusement, j'ai Hannah qui me donne du courage et la force de croire en un jour meilleur. J'ai Isaac aussi. Tous les trois, nous serons un jour réunis. Je le sais... je le sens... je l'espère.

30 novembre 1943

Te souviens-tu, Isaac, de notre 30 novembre. C'était il y a onze ans. Nous en parlions depuis quelque temps déjà mais ne nous pressions pas. Nous savourions l'insouciance de notre jeunesse. Tu venais à la maison tous les jours après ton travail et tu m'emmenais promener le long des quais, au cinéma ou au bal. Souvent pour *shabbat*, papa te proposait de partager un de ces whiskies irlandais qu'il se procurait par un de ses clients du magasin. Maman et moi nous activions alors dans la cuisine pour vous servir un succulent repas durant lequel nous chantions joyeusement le *zemirot*[1]. Il nous tardait ensuite de nous retrouver seuls pour nous embrasser. Ce que nous faisions d'ailleurs sans attendre d'avoir dévalé l'escalier quand nous quittions l'appartement familial. Arrivés en bas, je levais la tête vers la fenêtre d'où maman me souriait tendrement. Je crois que mes parents t'appréciaient beaucoup, Isaac et tu devais le sentir puisque sans m'en informer, ce fameux 30 novembre 1932, tu as demandé ma main à papa. Il est entré dans la cuisine les bras en l'air pour me serrer contre lui. « Dalila, sors le champagne, notre fille va se marier ! » cria-t-il à maman qui s'est mise à pleurer presque instantanément. J'étais si heureuse. Toi, tu me regardais avec ce sourire qui me fait chavirer. Qui aurait cru ce jour-là, quand notre bonheur était à son comble que, onze ans plus tard, je consignerai cela dans un malheureux carnet, tapie dans un coin à l'abri des regards ? Qui aurait pu prévoir que nous serions retenus dans cet endroit sordide où nous mourons à petit feu ? Qui aurait cru que le prix de notre bonheur serait si élevé ? Isaac, dis-moi que c'est un cauchemar. Que bientôt, nous serons réveillés au petit matin par le cri des enfants. Que nous rirons à nouveau, insouciants. Dis-moi que tout cela n'est pas réel. Chante le *zemirot* avec moi, mon amour. Chante.

---

1. Chanson spécialement conçue pour être chantée durant le repas du *shabbat*.

38

Rudolf Höss quitta Auschwitz le 1er décembre 1943 à midi après un bref entretien avec son successeur Arthur Liebehenschel[1]. Il partit seul, laissant derrière lui sa femme enceinte et leurs quatre enfants dans l'immense villa qu'ils occupaient près du camp. Nommé chef de la section politique de l'inspection des camps du WVHA[2] depuis le 10 novembre, il était resté discret sur sa mutation jusqu'au dernier moment. Même si ce changement imposé par Himmler était présenté comme une promotion, beaucoup n'étaient pas dupes. Le rapport du juge Konrad Morgen sur la corruption grandissante à Auschwitz ainsi que les soupçons pesant sur le lieutenant-colonel à propos d'une liaison avec une prisonnière politique autrichienne alimentaient bien des débats. Il avait été décidé en haut lieu que Höss devait être écarté. Malgré le peu d'estime qu'il avait pour le commandant du camp, Josef Meyer ne put réprimer un sentiment de compassion vis-à-vis de la famille de Höss. On ne se refait pas.

---

1. Successeur de Höss au commandement d'Auschwitz.
2. *SS-Wirtschafts-Verwaltungshauptamt* ; c'est le bureau central pour l'économie et l'administration. Ce bureau chargé de la gestion des finances, de l'intendance et des opérations commerciales de la SS, dirigeait aussi les camps de concentration. Oswald Pohl était à la tête du WVHA.

Dès son arrivée, Arthur Liebehenschel convoqua Meyer pour un entretien privé. Le médecin dut rendre compte des résultats du programme GEIST 24 et dressa un état des lieux du camp. Le nouveau lieutenant-colonel sembla surpris par certaines des actions menées par Rudolf Höss. La création d'un bordel pour les kapos à l'intérieur du camp, en particulier, lui parut en totale opposition avec l'idéologie nazie. Dès sa prise de fonction, il réorganisa le camp et divisa Auschwitz en trois sections et trente sous-camps.

En bon professionnel de la psychologie humaine, Josef Meyer comprit très vite qu'Arthur Liebehenschel n'avait ni le charisme, ni le dynamisme de son prédécesseur. Tant mieux. Sa récente ambition d'améliorer le quotidien de ce terrible endroit s'en trouverait facilitée.

De retour à son bureau, il put reprendre ses activités sans craindre une attitude trop intrusive de son nouveau commandant. Il jeta un coup d'œil rapide à son agenda. Il avait une heure devant lui avant son rendez-vous avec Rike Schwarz. Ils ne s'étaient pas revus depuis que le caporal-chef lui avait fait part de son escapade nocturne avec ses deux camarades du canada. Pauvre type. En voilà un qui a su conserver un semblant d'humanité. Mais tiendra-t-il le coup ?

Meyer se mit à faire les cent pas. Il parcourait les vingt mètres carrés que comptait son bureau sans relever la tête. Son regard restait fixé sur ses chaussures comme s'il avait voulu étudier sa façon de marcher. Sans marquer une pause, il alluma une cigarette en poursuivant sa réflexion. Que ferait Freud ? En d'autres temps, il aurait compulsé des ouvrages de psychologie pour tenter de trouver des leviers susceptibles d'aider cet homme à supporter l'horreur et à s'affranchir de la culpabilité. Mais les livres, pour la majorité d'entre eux, avaient été censurés, brûlés. Au nom de l'épuration. *Arg* ![1] *Achtung* ! *Gefahr* ![2]

Dans son cabinet d'Auschwitz, rien de superflu : un bureau avec deux chaises (une de chaque côté) et une armoire où les dossiers de couleurs étaient rangés par ordre alphabétique. Dans un coin de la salle, seule la table sur laquelle Zelmann prenait ses notes avait été ajoutée. Rien d'autre. Il s'approcha de son secrétaire et lui posa la main sur l'épaule.

— J'ai rencontré notre nouveau commandant. Il est très différent de Höss, vous savez.

— C'est ce que j'ai pu comprendre.

— Comment ça ?

— L'autre jour quand vous êtes revenu de son bureau, j'ai lu sur votre visage moins de crispation et de crainte que lorsque vous reveniez de chez Höss.

Meyer sourit.

— Ah, mon cher Zelmann, vous êtes décidément un homme surprenant. Vous deviez être un étudiant brillant à Varsovie.

— Je n'étais pas trop mauvais, c'est vrai.

— N'abandonnez pas, reprenez vos études après cette guerre et devenez un grand médecin.

Zelmann Steinberg sourit sans répondre. Sa carrière de médecin n'était plus au cœur de ses préoccupations. Il était entré en résistance dès l'arrivée des Allemands en Pologne, et continuait à mener ses actions au sein même du camp. Mais il n'en avait encore jamais parlé au psychiatre.

Josef Meyer s'approcha un instant de la fenêtre maintenue fermée. Il ne l'ouvrait quasiment plus. L'odeur qui s'y engouffrait de l'extérieur lui était de plus en plus insoutenable. Les fours marchaient à une cadence

---

1. Mauvais !
2. Danger !

155

infernale, permettant la quasi disparition des bûchers à ciel ouvert mais la pestilence, elle, était toujours là. Plus présente que jamais. Cette odeur de corps brûlés se faisait même sentir à plusieurs kilomètres à la ronde, éveillant le soupçon des populations environnantes. Pourtant, depuis qu'Himmler avait prononcé son discours à Posen, la « solution finale » n'était plus un secret mais présentée comme une nécessité absolue.

Le lendemain du départ de Höss, le premier convoi de Juifs provenant de Vienne arriva à Auschwitz. L'épuration du monde continuait. Méthodique. Pays après pays. Il ne devait plus exister sur terre aucun être humain juif. Parallèlement, le docteur Clauberg annonça triomphalement avoir effectué avec succès plus de cent opérations de castration. Rien ne semblait pouvoir arrêter le processus.

39

1ᵉʳ *décembre 1943*

J'avais presque oublié ces douloureuses sensations que
sont la faim et la soif. J'ai été très privilégiée lors de mon
passage au *Revier*. Comme la doctoresse m'aimait bien et
avait besoin de moi, j'avais droit à des rations plus impor-
tantes et surtout, je pouvais boire plus que de coutume.
Malheureusement, le retour au *kommando* marque aussi la
réapparition de ces troubles permanents. Dans mon ventre,
mes viscères font des nœuds douloureux avec souvent des
crampes qui peuvent persister durant de longues heures.
Ma gorge, quant à elle, est extrêmement sèche et je brûle
littéralement de l'intérieur. Je suis toujours les conseils
d'Esther et bois de temps à autre cette eau infâme, même
si elle n'est pas potable. Pour l'instant, je n'ai pas plus de
crises de dysenterie que ceux qui s'abstiennent. Il serait
stupide de s'en priver. Surtout qu'étant donné ce qui nous
attend, il est inutile de s'infliger des souffrances supplémentaires. Alors je bois cette eau noire pour calmer ma
gorge. D'ailleurs ici tout est noir. Ou gris dans le meilleur
des cas. Nous mangeons du pain noir, buvons un ersatz de
café noir. Le ciel est sombre. À perte de vue, ce sont des
baraquements gris, entourés de barbelés. Nos vêtements
aussi sont de couleur grise et avec notre crasse collée, ils
paraissent plus foncés encore. Nos dents, quand il nous

en reste, ont perdu de leur blancheur d'antan. Nos crânes rasés et nos visages ont pris une couleur grisâtre : une teinte cadavérique. La fumée qui tout au long de la journée s'échappe des grands bâtiments est noire. Pas un arbre, pas une fleur, pas un brin d'herbe verte, aucun animal ou oiseau pour nous distraire. Nos frêles silhouettes déambulent voûtées, lentement, sans ardeur. Avec nos visages émaciés aux orbites creusées et noircies d'où s'échappent péniblement des regards apeurés, tristes et implorants, nous nous ressemblons tous. De temps à autre, quelques-uns poussés par la faim s'élancent rapidement vers les barbelés pour tenter de ramasser un quignon de pain noir jeté par un soldat SS. Ils sont immédiatement abattus. Les cadavres restent parfois plusieurs jours étendus sur le sol grisâtre avant que les Allemands ne nous demandent de les ramasser. Toute forme de vie animale ou végétale semble avoir disparu. Adieu les belles couleurs des papillons, libellules et abeilles. Seuls les poux sont restés : noirs eux aussi.

40

— Que prenez-vous, Schwarz, un cognac ?

Le caporal-chef prit place sur un tabouret libre à côté de Josef Meyer. À cette heure-là, le « *Wein als Bier* » n'était pas très fréquenté.

— À la vôtre ! ajouta le médecin en levant son verre.

Rike Schwarz ne se fit pas prier et après avoir à son tour saisi son verre, le vida cul sec. Il le reposa bruyamment sur le comptoir et fit signe au barman de les resservir.

— Alors, dites-moi comment ça se passe au canada ? Vous tenez le choc ?

Le jeune Allemand aspira une longue bouffée de cigarette et pencha légèrement sa tête en arrière pour en recracher la fumée.

— Ça va, je ne me plains pas. Avec ce qu'il se passe ici, je me dis qu'il vaut quand même mieux être dans notre camp que dans le leur.

— Vous avez raison, c'est comme ça qu'il faut le prendre. Et avec Schüller, comment ça se passe ? Il n'abuse pas trop de sa fonction depuis sa récente promotion ?

Schwarz sourit, libérant une légère fossette sur son menton.

— Vous plaisantez ? Déjà avant, il se servait généreusement dans les objets que nous trions, alors maintenant qu'il est devenu sergent, c'est tout juste s'il se cache !

159

— Et avec vous ? Il ne tente pas de vous imposer d'autres sorties comme celle dont vous m'aviez parlé ?

— Non, il me laisse tranquille. Il m'appelle « pisse dans son froc », mais à part ça, il me fout la paix.

— Ça ne m'étonne pas de lui. Toujours méprisant et hautain.

Schwarz haussa les épaules.

— Qu'il ne me chauffe pas trop quand même. Moi aussi, je peux être con.

D'un sourire approbateur, le médecin l'incita à continuer.

— J'ai cru comprendre que le camp était dans le collimateur d'Himmler.

— Qu'est-ce qui vous fait dire ça ?

— Je ne suis pas idiot, vous savez. Depuis la visite du juge Morgen, il y a des bruits qui courent. Et maintenant, ils nous changent notre lieutenant-colonel ! La chasse est ouverte, on dirait.

— Je suis d'accord avec vous. Je ne pense pas que la mutation de Rudolf Höss soit une promotion, comme cela a été présenté.

Schwarz fit signe au barman de les resservir. Lui, d'ordinaire abonné à la bière, commençait à prendre goût au cognac. « Ce Meyer est un fin connaisseur… » pensa-t-il en avalant les quelques gouttes restant au fond de son verre.

— Mon père connaît quelqu'un en haut lieu qui serait ravi d'en savoir un peu plus sur ce qu'il se passe ici. Alors si SS Schüller ou un de ses acolytes venait à devenir trop pesant, je me ferais un plaisir de les balancer. Et je m'arrangerai pour qu'il ne passe pas au travers des mailles du filet cette fois.

Meyer se leva de son tabouret et après avoir vidé d'un trait le verre qui venait de lui être servi, ajouta très bas :

— Venez. Allons continuer cette conversation chez moi, voulez-vous ?

Le caporal-chef jeta sa cigarette par terre et l'écrasa du pied droit en parcourant la salle du regard. Il vida lui aussi son cognac et suivit le médecin. Depuis son arrivée à Auschwitz, c'était la première fois qu'il se sentait en confiance avec quelqu'un mais Meyer avait raison : mieux valait avoir ce genre de discussion à l'abri d'oreilles indiscrètes.

Arrivé à son domicile, le psychiatre fit entrer Schwarz dans le petit salon près de l'entrée et demanda à Irena de leur préparer à dîner. Ils avaient faim. Il pria son invité de s'asseoir dans un fauteuil vert datant du siècle précédent qui faisait un bel effet dans cette pièce aux murs habillés de bois de chêne.

— Alors, mon cher Rike, vous permettez que je vous appelle ainsi, n'est-ce pas ?

Le caporal-chef acquiesça.

— Où en étions-nous déjà ? Ah, ça y est. Vous me parliez des pratiques de certains de vos collègues, c'est bien ça ?

— Oui, je vous disais que j'étais prêt à balancer mes camarades, s'il le fallait.

— Hum… C'est vrai, c'est vrai.

Josef Meyer marqua un temps d'arrêt en caressant Yull venu se coucher à ses pieds et reprit sans quitter le braque des yeux :

— Et vous ? Ça ne vous arrive jamais de vous servir parmi toutes ces choses qui vous passent entre les mains ? Ce doit être tentant.

— J'ai gardé un semblant de dignité, figurez-vous. Je suis obligé d'obéir aux ordres et de faire des choses qui me déplaisent fortement sinon je risque ma vie, mais je ne peux profiter de la situation. Si en plus de les laisser mourir, je venais à voler ces gens, je ne pourrais plus me regarder dans un miroir.

— C'est tout à votre honneur. Et vos camarades ? Ils se servent tous ?

— Plus ou moins, oui.

— Sans se cacher.

— Parfaitement. Ils ne se méfient pas de moi. Ils me considèrent comme un trouillard. Ce n'est pas pour rien s'ils m'appellent « pisse dans son froc ».

Meyer sourit.

— Venez, passons à table. Irena est une cuisinière hors pair, vous m'en direz des nouvelles.

Rike se leva et Josef Meyer lui tapa amicalement sur l'épaule.

— Me voilà rassuré à votre sujet, mon cher. Jusqu'à ce soir, je me faisais du souci pour vous, vous savez.

— J'ai eu un passage à vide, je l'avoue. Mais à mon échelle, je ne peux rien changer malheureusement.

— Je vais vous faire une confidence, Rike, ajouta le médecin en dépliant sa serviette qu'il coinça dans son col de chemise. Moi aussi, j'ai eu un moment de désespoir. Mais contrairement à vous, je pense que même à notre échelle, nous pouvons faire quelque chose.

— Vous croyez ?

— Laissez-moi vous expliquer.

41

3 décembre 1943

Je crois que je ne chanterai plus jamais. Je pensais que ça m'aidait à tenir ; je me suis trompée. Par nos chansons quotidiennes, Esther et moi nous sommes fait remarquer. Un Allemand est venu hier. Un dénommé Schüller, je crois. C'était son anniversaire à ce qu'on m'a dit, alors il nous a demandé de chanter pour lui. Bien sûr, nous avons refusé. Et puis quoi encore ? Ils n'ont donc aucune espèce d'humanité ou de compassion ? Ils nous traitent comme des bêtes, nous humilient, ont le droit de vie ou de mort sur nous et en plus, il faut leur souhaiter un joyeux anniversaire. Qui se soucie du nôtre ? Savent-ils que, nous aussi, avant d'arriver dans ce camp, nous fêtions nos anniversaires ? Anniversaires qui pour la plupart d'entre nous furent les derniers. Mes fils n'en ont même pas eu dix à célébrer. Esther n'en est qu'à treize bougies. Hannah n'en a célébré aucun. Et moi ? Serai-je encore vivante au mois de mars pour mes trente ans ?

Alors oui, bien sûr, on a refusé de chanter pour lui. Mais ils ont approché les chiens et pointé un fusil sur nos têtes. Nos voix tremblantes ont fini par céder. Alors que des larmes ruisselaient sur nos joues, des notes joyeuses s'échappaient de nos bouches. Après les tortures du docteur Clauberg, voilà un nouveau genre de supplices.

Les Allemands excellent dans le domaine des humiliations. Chanter pour ceux qui ont tué mes fils et mes parents. On croit avoir enduré le pire mais chaque jour, une nouvelle torture, une nouvelle violence ou une autre sorte d'avilissement nous tombe dessus. Que peut-il encore m'arriver ?

13 décembre 1943

L'Allemand est revenu : SS Schüller. Il a beaucoup apprécié notre prestation m'a dit la chef de block. Enfin, surtout la mienne. Il veut m'emmener travailler avec lui au canada. Pour m'entendre chanter plus souvent, m'a-t-elle soufflé à demi-mot. C'est a priori une bonne nouvelle. Tout le monde ici voudrait y aller. On y est au chaud, le travail y est moins pénible et les chances de survie beaucoup plus grandes. Mais il ne me plaît pas, cet Allemand. Encore moins que les autres. Il a quelque chose de malsain dans le regard. Et puis Esther va me manquer. Ici, nous nous soutenons toutes les deux. Sur qui pourrai-je compter une fois là-bas ?

Il doit revenir me chercher cet après-midi, ou demain, je n'ai pas très bien compris. Les autres femmes du baraquement sont jalouses et ont visiblement décidé de me mener la vie dure. À midi, elles m'ont jeté ma gamelle de soupe au visage avant de s'emparer du quignon de pain que je tentais de dissimuler sous ma robe. Esther a voulu me défendre et elles s'en sont aussi prises à elle. Pour moi, plus que quelques heures à tenir, mais pour elle, ça risque de devenir difficile.

14 décembre 1943

J'ai tué Isaac.

L'Allemand est venu me chercher et, en sortant du camp des femmes, on a rencontré un *kommando* d'hommes. Isaac était parmi eux. Nous allions nous croiser, peut-être même nous toucher. C'était la première fois que nous

nous retrouvions si proches l'un de l'autre. Nous nous sommes souri, nous étions heureux. SS Schüller, le soldat allemand qui me conduisait, a surpris nos échanges de regards et m'a demandé si nous nous connaissions. C'est mon mari, lui ai-je répondu joyeusement. Il m'a alors regardée de façon soutenue et a fait signe à Isaac d'approcher. Quand mon cher époux fut à seulement un mètre de moi, il lui a ordonné de se mettre à genoux. Isaac s'est exécuté sans comprendre. Nous nous sommes regardés avec un mélange de bonheur et d'inquiétude. L'ordure m'a ensuite demandé de ne pas le quitter des yeux et avec un large sourire, lui a tiré une balle dans la nuque. Mon cher amour s'est effondré à mes pieds. J'ai hurlé, j'ai craché au visage du SS. J'ai tenté de le frapper mais il me maîtrisa sans problème. Je l'ai alors supplié de me tuer aussi. Il a refusé. Je suis restée prostrée sur le corps d'Isaac. Il m'ordonnait de me relever mais c'était au-dessus de mes forces. D'un geste sûr, il m'a arrachée à mon mari et m'a chargée sur son dos tel un sac de patates. Je ne pèse pas bien lourd, alors pour un gaillard comme lui, me porter ne demande pas beaucoup d'efforts. Puis, tranquillement, comme si rien ne s'était passé, il a repris sa marche. La tête à l'envers, cognant à chaque pas le dos de l'Allemand, je regardais à travers mes larmes s'éloigner le corps d'Isaac. Alors que la bête me menait vers son repaire, toi mon amour, tu continuais à te vider de ton sang. Pardon, Isaac, pardon, mon cher et tendre. Sans moi, tu serais toujours vivant. Ma bêtise t'a tué. J'aurai dû dire que je ne te connaissais pas. Ne pas te regarder, ne pas te sourire. Mais comment aurais-je pu ? Pardon, Isaac. Pardon, les garçons, de ne pas avoir su vous protéger. Pardon, Hannah, de t'avoir abandonnée.

42

Depuis l'arrivée d'Arthur Liebehenschel au commandement d'Auschwitz, un vent de renouveau soufflait sur le camp. C'était un homme que le SS-Reichfürher qualifiera plus tard de mou et sans grande envergure. Le lieutenant-colonel décréta l'amnistie du block 11 et fit démolir le mur noir. Les meurtres de masse continuaient mais les autres types d'exécutions allaient être diminués. Il décida que seuls les massacres ordonnés par Berlin avaient lieu d'être. Pour le reste, on devait s'en tenir à faire travailler les détenus sans abus de pouvoir. À ce titre, il destitua les kapos les plus violents et donna le ton en rendant visite aux détenus juifs du *Revier* ou des *kommandos* de travail. Il s'adressait à eux comme à des êtres humains. Une première pour le camp d'Auschwitz. Cette nouvelle attitude redonna espoir aux internés et le mouvement de résistance mené par Zelmann Steinberg profita de cette accalmie pour étendre son action. De plus en plus d'opérations de sabotage apparurent dans les usines de travail et l'augmentation du nombre d'évasions réussies mit du baume au cœur des détenus. Mais face au manque de médicaments, le typhus faisait toujours des ravages.

Zelmann Steinberg décida alors d'impliquer Josef Meyer plus au cœur des actions du *Kampfgruppe* Auschwitz[1].

— Vous savez que les injections au phénol ont cessé, annonça fièrement le médecin.

— Je vous remercie pour votre intervention, *Herr Doktor*. Grâce à vous, des vies ont pu être sauvées.

— Ouais, pour le moment, répondit-il dans une moue dubitative. Je ne suis pas certain qu'ils laissent notre nouveau lieutenant-colonel en place bien longtemps. Himmler n'a jamais beaucoup apprécié les hommes de son acabit et avec le retour de quelqu'un comme Höss, les assassinats reprendront. Avec ou sans phénol.

— Peut-être mais en attendant, c'est toujours ça de gagné.

— Vous avez raison, Zelmann. Réjouissons-nous des nouvelles mesures décidées par notre commandant, et des vies épargnées.

— Si je peux me permettre, *Herr Doktor*, vous pouvez aider plus de gens, si vous le souhaitez.

Josef Meyer s'installa derrière son bureau et tira une cigarette de sa poche.

— Et vous allez me dire comment, n'est-ce pas ? dit-il, un sourire en coin.

— Je dirige ici une organisation de résistance secrète.

Le psychiatre aspira une longue bouffée de tabac pour tenter de dissimuler sa surprise.

— Depuis quand ?

— Mon arrivée à Auschwitz.

— En quoi consiste votre organisation ?

— Nous menons différentes actions visant à améliorer les conditions de détention de nos compagnons d'infortune. Nous mettons aussi sur pied des plans d'évasion.

---

1. Groupe de combat d'Auschwitz crée par les détenus résistants au sein même du camp.

— Comment faites-vous avec ces gardes qui ont ordre de tirer sur tous les insoumis ?

— Ça, c'est mon problème, si vous le voulez bien.

— Qu'attendez-vous de moi, Zelmann ?

— Nous avons mis en place une filiale pour introduire clandestinement des médicaments. Rien que les trois derniers mois, nous avons réussi à faire rentrer, via les détenus du *kommando* horticole, soixante-dix sérums antityphique et plus de sept mille centimètres cubes d'injections diverses. Cependant, nous nous sommes aperçus que ces médicaments ne profitent pas à tous de façon équitable. Les Polonais revendiquent leur priorité et il en ressort qu'ils sont les seuls à avoir accès à ces traitements. Nous voudrions élargir le système pour un partage plus général.

— Très bien mais en quoi puis-je vous être utile ?

— Essayez d'obtenir le droit pour les détenus de recevoir des colis venus de l'extérieur.

— Des colis ? Mais vous n'y pensez pas ! Même si j'y parvenais, les gardes auraient ordre de les ouvrir avant de les transmettre à leurs destinataires.

— Bien sûr, nous y avons pensé. C'est justement là que nous interviendrons.

— Vous êtes un drôle de bonhomme, Zelmann. Très bien. Et si j'obtiens ce que vous me demandez, comment pouvez-vous être certain que vos médicaments parviendront à ceux qui en auront le plus besoin ?

— *Herr Doktor*, sachez que nous apprécions tous votre aide, mais moins vous en saurez, mieux ce sera. Pour nous, comme pour vous. Contentez-vous d'obtenir le droit aux colis, nous nous chargeons du reste.

— Je vais voir ce que je peux faire. Mais soyons clairs, je ne vous promets rien.

Josef Meyer rentra chez lui de bonne heure, ce jour-là. Il trouva Dariuz et Anatol dans le potager en pleine récolte de pommes de terre. Ils échangèrent quelques mots sur la bonne production du verger. À l'intérieur de la maison, Irena s'affairait dans la cuisine tandis que Magda entretenait les cuivres de la salle à manger. Le médecin s'installa dans son bureau en compagnie de Yull, son fidèle chien. Ce beau braque au pelage auburn jouissait d'une place très privilégiée dans la villa. Il ne quittait pas son maître d'une semelle. Du salon au bureau jusque dans sa chambre, Josef Meyer aimait l'avoir à ses côtés. Il lui caressa vigoureusement le flanc avant de se pencher sur ses dossiers. Pour la demande de Zelmann, il avait sa petite idée mais il voulait faire plus. Irena entra et déposa un plateau avec un thé bien chaud et quelques biscuits. La jeune femme rayonnait depuis que le médecin s'était confié à elle. Il l'entendait souvent fredonner dans la cuisine alors qu'elle lui faisait mijoter de bons petits plats de chez elle. Elle se coiffait différemment aussi et se poudrait légèrement le visage avant de se présenter à lui. Tous ces changements, Meyer les avaient remarqués et, même s'il s'interdisait d'envisager quoi que ce soit, il s'était surpris à deux ou trois reprises à se parfumer avant de se faire servir le dîner.

Pour l'entretien du jardin, il rédigea de nouvelles directives qu'Irena fut chargée de transmettre à Dariuz et Anatol. Dès le lendemain matin, il informa son secrétaire que chaque jour, un sac de fruits et légumes serait préparé par ses jardiniers. Ceux-ci avaient en outre reçu l'ordre d'accroître la production en cultivant le moindre recoin de son jardin personnel. Zelmann n'avait plus qu'à organiser l'entrée et le partage de ces vivres dans le camp.

Ce soir-là, Meyer se coucha serein. Pour la première fois depuis bien longtemps, il était fier de lui. Le sommeil le happa rapidement, libérant tous les interdits imposés par les circonstances. Il songea à Irena et ses désirs les plus fous prirent vie l'espace de quelques heures d'une nuit fébrile.

43

20 décembre 1943

L'ultime regard d'Isaac me hante jour et nuit et le bruit
de la balle qui lui ôta la vie retentira à jamais dans mes
oreilles. L'enfer, s'il existe, ne doit pas être terrible à côté
de cet endroit. Je ne prie plus, ne chante plus. Esther n'est
pas à mes côtés pour me soutenir comme elle le faisait
jusque-là. Je suis vraiment seule maintenant. Même si ici
on nous fiche la paix, je n'ai plus envie de rien.

24 décembre 1943

Je suis affectée au tri des vêtements, chaussures et provisions confisqués aux nouveaux arrivants. La première fois
que je me suis assise à la table de tri, je n'ai pu m'empêcher
de songer à la belle robe que je portais en arrivant et à
mes chères boucles d'oreilles qu'Isaac m'avait offertes à
la naissance d'Hannah. C'est par ici qu'elles sont passées.
Jamais je ne les reverrai.

Être au canada présente deux immenses avantages :
nous sommes au chaud et pouvons manger un peu mieux
que dans les autres *kommandos*. Je suis beaucoup moins
tiraillée par la faim et la soif que je ne l'ai été depuis mon
arrivée à Auschwitz. Les provisions que nos camarades
d'infortune ont apportées avec eux passent entre nos
mains et les SS nous laissent nous servir. Il faut dire qu'il

y en a tellement que nous en donner ne les prive de rien. Ils se servent largement en alcool, cigarettes, et aussi en beaucoup d'autres choses. C'est impressionnant, il y a presque une pièce pour chaque catégorie. Nous devons séparer les objets qui sont ensuite répartis dans les différentes salles. Les Allemands, eux, trient les devises. Il y a une pièce pour les chaussures, une pour les vêtements, les bijoux, etc. Il paraît qu'ici on peut se prendre de nouveaux habits quand on veut et personne ne nous dit rien. Pour l'instant, je profite surtout de la nourriture. Je prends cependant garde à ne pas trop manger. Ida, une de mes camarades, m'a rapporté que certaines filles sont mortes de dysenterie pour avoir ingurgité trop d'aliments d'un coup après de longs mois de privation.

Je n'ai pas encore revu l'Allemand et je ne suis pas pressée. Cet homme me fait peur. Pourquoi suis-je toujours en vie ? Pour te retrouver, Hannah, probablement. Sinon à quoi me servirait d'endurer toutes ces souffrances sans y succomber ? Je vais m'accrocher, ma petite fille, je te le promets, quoi qu'ils me fassent encore subir, je vais lutter. Pour toi. Pour qu'un jour nous soyons réunies.

44

Meyer accéda assez facilement à la demande de son secrétaire. Arthur Liebehenschel n'émit aucune objection à la requête du psychiatre et autorisa les détenus à recevoir des paquets.

Les choses se mirent en place rapidement et Zelmann Steinberg put organiser l'entrée et le partage équitable des médicaments dans le camp. Les colis étaient envoyés de l'extérieur pour des détenus décédés. Lors du tri, la notation « mort » autorisait les compagnons de résistance à exclure du contrôle par les Allemands ces colis sans destinataire. Ils s'arrangeaient ensuite pour s'en *organiser* le contenu et le distribuer aux malades.

En cette fin d'année 1943, sous la cheminée toujours menaçante, l'espoir semblait renaître.

À l'approche des fêtes de fin d'année, Josef Meyer se vit octroyer quelques jours de congés. Cependant, sa femme et sa fille décédées, il n'avait nulle part où aller et surtout personne à retrouver. Il décida de rester à Auschwitz. Eduard Wirths l'invita à sa table mais le psychiatre refusa. Il choisit de rester seul chez lui. Irena lui préparerait un délicieux repas et peut-être oserait-il lui proposer de partager son dîner. Ses sentiments pour la jeune femme se précisaient jour après jour mais pour rien au monde, il ne lui aurait dévoilé son cœur. Le contexte ne permettait pas ce genre de chose, il en avait conscience.

Rudolf Höss vint passer quelques jours avec sa famille et ne manqua pas de faire un détour par la villa de Josef Meyer pour le saluer.

— Mon cher ami ! cria-t-il en apercevant Meyer assis dans son salon alors qu'Irena le faisait entrer.

— *Heil Hitler* !

— *Heil Hitler* !

Ils s'installèrent dans les confortables fauteuils près de la cheminée.

— Pour fêter nos retrouvailles, mon ami, je vous ai apporté un de ces fameux cigares dont vous me direz des nouvelles.

— Volontiers, commandant. Irena, apportez-nous la bouteille de cognac avec deux verres, s'il vous plaît.

Les deux hommes allumèrent leurs barreaux de chaise tandis que la jeune femme servait le liquide ambré tant apprécié par Josef Meyer.

— Dites-moi, *Doktor*, comment va le camp depuis mon départ ?

— Les crématoires tournent à plein régime mais les soldats sont inquiets à la suite de nos défaites sur le front de l'Est.

— Effectivement, ce n'est pas ce qu'Hitler avait prévu. Après Stalingrad, la bataille de Koursk nous a brisé les reins. On y a perdu beaucoup d'hommes et de véhicules de guerre.

— C'est de là que provient cette soudaine clémence pour les détenus ?

— Qu'entendez-vous par clémence ?

— Berlin a envoyé un communiqué nous ordonnant d'augmenter la main-d'œuvre dans les usines. Jusqu'ici,

Himmler était clair : « Tous les Juifs devaient être exterminés. »

— Sur ce point, il n'y a rien de changé.

— Rien n'a changé il est vrai, si ce n'est que Pohl[1], chargé par le Reichführer lui-même d'alimenter l'industrie de l'armement avec un maximum de détenus, nous demande d'inclure dans cette main-d'œuvre les Juifs en état de travailler, ce qui n'était pas le cas jusqu'à présent.

— On manque de matériel. Il faut faire tourner les usines au maximum pour donner à nos soldats les armes de la victoire.

— La victoire ! ricana Meyer. Vous y croyez toujours ?

— Il est vrai que nous avons commis quelques erreurs, mais nous saurons repousser les Russes, croyez-moi.

Le médecin se leva, pensif. Il fit le tour de la pièce en regardant ses bottes puis saisit la bouteille de cognac. Il resservit son hôte avant de remplir son verre qu'il vida presque instantanément.

— Et vous, *Herr* commandant, comment se passe votre vie de bureau ?

— Je retrouve là votre humour, mon cher Meyer. Mon bureau enregistre en effet tous les documents émanant de l'inspection générale des camps mais je n'y suis pas souvent, à mon « bureau », si c'est ce que vous insinuez. Je suis un homme de terrain. Je me déplace beaucoup pour me rendre compte par moi-même de l'état de nos camps et je constate à mon grand regret de nombreuses déficiences. On devrait tous les envoyer faire un petit séjour ici et ils se rendraient compte de ce qu'exterminer veut dire.

---

1. *SS-Obergruppenführer* (général commandant des opérations). Il est directeur du WVHA, office central de l'administration et de l'économie de la SS. Il était chargé d'alimenter l'industrie de l'armement avec des détenus. Il organisa aussi l'exploitation de tout ce qui provenait des Juifs depuis les camps de concentration.

— C'est vrai qu'en la matière, vous faites figure de modèle.

— Himmler m'a lui-même félicité, et je pense que c'est pour cette raison qu'il m'a fait nommer à ce poste.

— Pour que vous transmettiez votre savoir-faire et votre efficacité.

— Exactement.

45

28 décembre 1943
Schüller, l'Allemand, est venu me voir hier. Il m'a souri comme un benêt et m'a offert une broche en or. Bijou qui appartenait à une femme qu'ils ont gazée. C'est évident. Il s'est ensuite approché pour m'embrasser mais je me suis dégagée. Il croit quoi ? Qu'un peu d'or chipé à une morte suffirait à me faire oublier qui il est. Lui, l'Allemand, l'assassin d'Isaac ! En tout cas, il n'a pas insisté. C'est déjà ça. Mais j'ai gardé la broche. Je tenterai de l'échanger contre un peu de nourriture. Un chocolat chaud. Qu'est-ce que j'aimerais sentir l'odeur du chocolat ! Quand j'étais petite, maman me préparait de savoureux bols dans lesquels nous plongions ces délicieux sablés dont elle seule avait le secret. Ma petite maman. Toi aussi, tu es partie. Si un jour je sors d'ici, je retrouverai Hannah et, quand elle sera un peu plus grande, je lui préparerai du chocolat chaud avec des biscuits et je lui parlerai de toi. Et de papa aussi.

1er janvier 1944
Au canada, il y a toujours ces interminables appels du matin et du soir mais je commence à manger presque à ma faim. Souvent, je pense à mes amies du *kommando* de travail et je me demande si elles sont encore en vie. Esther

me manque. Nous étions devenues si proches que je la considère comme une sœur et je m'inquiète pour elle.

J'ai finalement eu beaucoup de chance d'être transférée ici. Je sais à présent que je vais m'en sortir. Le SS qui nous surveille est assez gentil pour un Allemand. Il s'appelle Schwarz ou quelque chose comme ça, et parfois il nous laisse allumer la radio. Nous écoutons un peu de musique en travaillant, ce qui nous donne l'agréable sensation de ne plus être des prisonnières. Quand il s'éloigne un peu, on déplace la mollette du transistor sur radio Londres. D'après mes camarades habituées aux messages codés, les alliés préparent une offensive. La fin de la guerre n'est peut-être plus très loin. Schüller vient me voir tous les jours mais il n'a pas réessayé de m'embrasser. Schwarz étant toujours dans les parages, il doit craindre la réaction de son camarade. J'ai entendu dire qu'ils fusillaient les Allemands entretenant des relations avec des femmes juives. C'est tout ce qu'il mérite, l'ordure. J'aimerais le voir crever dans une lente et douloureuse agonie.

3 janvier 1944

Jeanne, une de mes camarades du canada, a réussi à faire venir sa sœur. Elle avait appris par je ne sais quel moyen que sa cadette et sa nièce de six mois étaient à bord du prochain convoi. Elle est allée trouver Schwarz, qui s'est toujours montré gentil envers elle, et l'a supplié de les sauver de la chambre à gaz. « Pour le bébé, je ne peux rien faire, lui a-t-il répondu, mais pour ta sœur je vais essayer. » Il a tenu parole et Louise nous a rejointes hier après-midi. On a tenté de lui faire croire que son bébé était dans une sorte de nursery avec d'autres mais elle n'est pas dupe. Elle a compris qu'elle ne reverrait jamais son enfant. Grâce à elle, nous avons eu des nouvelles de Paris. En France, la population espère l'aide des Américains et les résistants continuent à se battre pour affaiblir l'ennemi. Louise a entendu parler d'une nouvelle organisation clandestine visant à contrer la milice mais les déportations continuent. Ici aussi, il semblerait que des actions de résistance soient menées. Il y a de plus en plus d'évasions réussies. Les Allemands n'ont plus le droit d'abattre les détenus qui s'approchent des barbelés, alors tous les espoirs sont permis. Pour ma part, je ne me sens pas encore prête à ça. Depuis mon accident au *kommando*, ma jambe me fait souffrir et, même si je parviens à me déplacer, je ne peux plus courir. Chose importante une fois passés les barbelés, puisqu'à partir de là, rien n'empêche les Allemands de nous abattre comme des bêtes et ils ne s'en privent pas.

6 janvier 1944

J'ai fait comme Jeanne, je suis allée trouver Schwarz et l'ai imploré de faire venir Esther au canada. Il est étrange, cet homme. On dirait que ce genre de requête lui est naturel. Il a accepté de suite et le lendemain, Esther est arrivée. Nous nous sommes jetées dans les bras l'une de l'autre et avons pleuré les quelques larmes qu'il nous restait. Elle est très faible mais je lui ai dit qu'ici, elle était sauvée. On mange mieux, on est au chaud et il n'y a pas les mauvais traitements des autres *kommandos*. Elle m'a raconté comment après mon départ, les autres détenues lui ont mené la vie dure. Elles l'ont battue et, à plusieurs reprises, son repas a été *organisé* par quelqu'un d'autre si bien qu'à son arrivée, elle était encore plus maigre et affaiblie que la dernière fois que nous nous étions vues.

9 janvier 1944

Schüller est venu hier et m'a demandé de lui trouver un nouveau portefeuille. Le sien était abîmé, m'a-t-il dit. Il m'a conduite dans la salle où sont stockés les objets en cuir confisqués aux détenus. Ceintures, chaussures, porte-feuilles y sont amoncelés de façon totalement désorganisée.

Il s'est tranquillement assis sur une chaise, a allumé une cigarette et m'a demandé de fouiller le tas jusqu'à dénicher un modèle qui lui plaise. J'ai ôté mes chaussures et, à quatre pattes, me suis mise en quête de portefeuilles. Mon cœur a été assailli par un étrange sentiment. À mesure que je grimpais, je réalisais que la majorité des gens à qui appartenaient ces objets étaient morts. Je fus tentée de lui proposer le premier portefeuille trouvé mais il refusa. Le jeu semblait l'amuser plus que ne lui en importait le résultat. J'avançais sur ces biens volés à des morts sous les yeux malsains d'un soldat allemand. Il me reluquait de façon inquiétante et personne d'autre que lui et moi n'était dans la salle. Je n'étais pas trop rassurée. Ce type est une telle ordure. Je me suis alors concentrée sur les objets en tentant d'oublier sa présence. Je remarquais que tous les portefeuilles avaient été vidés avant d'être stockés ici. Certains contenaient encore des photos de personnes heureuses et insouciantes, mais pas une seule pièce ou billet n'y avait été oublié. Je lui en ai proposé quatre qu'il a refusés sans même y prêter attention, puis j'en ai touché un qui m'a semblé familier. Sa croûte de cuir était légèrement vieillie mais l'objet restait impeccable. En bas à droite, les initiales I.L se détachaient élégamment : Isaac Lindbergh. Mon cœur s'est soudain accéléré. Je l'ai délicatement ouvert pour y découvrir une photographie de notre famille, prise peu de temps avant notre arrestation. De grosses larmes vinrent brouiller mes yeux tandis que j'observais mes quatre amours. Nous pique-niquions au bord d'un lac où nous aimions nous rendre quand le temps s'y prêtait. Je me souviens que papa nous avait photographiés tous les cinq. J'étais assise par terre avec Hannah dans mes bras, les garçons se tenaient de part et d'autre et derrière nous Isaac, légèrement en retrait, semblait veiller sur sa petite famille. Une des dernières images de notre bonheur. Schüller était occupé à frotter ses bottes pour les faire briller alors j'en ai profité. Je me suis discrètement emparée de la photo que j'ai dissimulée sous ma blouse près de mon carnet et, après un baiser promptement déposé sur cet objet que mon époux avait si souvent tenu entre les doigts, je l'ai enfoui dans le fond. Je ne voulais surtout pas qu'il finisse dans la poche de son assassin. Par chance, Schüller était toujours affairé et ne s'est rendu compte de rien. J'ai activement repris mes recherches pour lui dénicher un modèle à son goût : large, brillant, de style prétentieux, tout ce qu'un homme de son acabit peut rêver. Je lui ai tendu l'objet. « *Schön, sehr schön...* »[1] a-t-il dit avant de cracher sur le cuir pour le lustrer. Il a ensuite caressé mon visage et tenté de m'embrasser. J'ai détourné la tête mais il m'a attrapée avec force et a fourré sa sale langue dans ma bouche. Il me tenait si fort que je ne pouvais plus bouger. Alors je l'ai mordu. Mes dents ont serré si intensément que j'ai senti le sang de sa langue gicler sur mon menton puis dégouliner le long de mon cou. Il a crié et d'une gifle violente m'a jetée au sol. J'ai cru qu'il allait me tuer. J'ai doucement relevé la tête vers lui et il m'a souri : « *Du resistes von mir* ! *Das erregt mich...* »[2] Il a alors commencé à défaire son pantalon mais par chance, Schwarz est arrivé à ce moment-là. Schüller s'est rhabillé sans aucune gêne. J'en ai profité pour me relever et je m'apprêtais à rejoindre les autres dans la grande salle de tri quand il a attrapé mon bras et avec cet horrible accent allemand m'a chuchoté à l'oreille : « La prochaine fois... »

15 janvier 1944

Tous les soirs, je regarde la photo de ma petite famille, et je m'endors en rêvant à des jours meilleurs. Je sais que nous ne partirons plus en pique-nique tous ensemble,

---

1. Joli, très joli...
2. « Tu me résistes ! Ça m'excite... »

mais j'espère retrouver Hannah. Je lui montrerai la photo. Dernier souvenir de son père et de ses frères. Unique témoin de notre bonheur passé.

Mes cheveux repoussent un peu. Un autre des avantages du canada. Nous ne sommes pas tondues. Nous avons des miroirs aussi. J'ai eu un choc la première fois que j'ai croisé mon reflet. Il faut admettre que nous sommes toutes un peu naïves ici. On regarde nos camarades avec dégoût. Ces corps décharnés et sales, ces visages gris d'où s'échappent, du fond de leurs orbites creusées, des regards d'outre-tombe. On a peur de ressembler à ça mais on reste convaincues d'être différentes. D'avoir meilleure mine. Le miroir m'a ramenée à la réalité. Quelques-unes de mes camarades ont dégotté du maquillage et se poudrent quotidiennement le visage. Elles nous conseillent d'en faire autant mais Esther et moi ne sommes pas encore prêtes pour ce genre de chose. Nous restons focalisées sur la nourriture et concentrons notre énergie à assouvir nos besoins vitaux. Nous avons conscience que du jour au lendemain, ils peuvent décider de nous renvoyer dans un autre *kommando* dans des conditions plus rudes. Alors on mange, et on profite de ce moment de répit en espérant rester là jusqu'à la fin de la guerre.

46

Le matin, avant l'arrivée de Josef Meyer, Zelmann Steinberg faisait du rangement dans le bureau du médecin. Il archivait les dossiers et mettait du papier blanc dans la machine à écrire afin d'être prêt pour les entretiens de la journée. Il en profitait également pour fouiller dans les documents officiels et brancher la radio dont il avait piraté le système. Les messages codés qu'il parvenait à envoyer à des civils polonais favorisaient les évasions du camp en assurant un soutien extérieur aux détenus qui s'y risquaient. Ses informations servaient aussi en amont. À plusieurs reprises, des explosions sur les rails avaient bloqué des convois en pleine campagne, permettant aux Polonais d'ouvrir les wagons à bestiaux pour libérer les déportés avant leur arrivée au centre d'extermination.

Josef Meyer avait pleinement conscience des activités menées par son secrétaire mais il était préférable qu'il en ignore les détails. Alors il s'arrangeait pour arriver de plus en plus tard à son bureau pour lui laisser le temps nécessaire à son action.

Ce matin par contre, il avait pris son service bien plus tôt. Hermann Schüller était son premier rendez-vous et il tenait à s'assurer que ni lui ni son secrétaire ne laisse quoi que ce soit traîner qui puisse éveiller la suspicion chez le zélé sergent.

Comme à son habitude, Schüller fut ponctuel. Ses bottes toujours aussi rutilantes, il pénétra dans le bureau sans même avoir pris soin de frapper. Meyer ne s'en offusqua pas. Venant de cet homme, il s'attendait à tout.

— Dites-moi SS Schüller, comment ça va au canada depuis l'arrivée de notre nouveau commandant ? Y a-t-il eu des changements en ce qui vous concerne ?

— Aucun, si ce n'est le renvoi de mon camarade Müller après la visite du juge Morgen.

— J'ai eu vent de cette affaire, en effet. Vous étiez en permission, je crois à ce moment-là ?

— Oui. J'ai d'ailleurs été surpris qu'à mon retour, on m'oblige à ouvrir mon casier qui, soit dit en passant, ne contenait rien de compromettant.

— Vous êtes un homme intègre, SS Schüller, fidèle à notre Führer, annonça le médecin un léger rictus aux bords des lèvres.

Parfaitement au courant de la manœuvre du soldat pour échapper au juge, Meyer était fasciné par l'aplomb du jeune homme qui, pour rien au monde, ne se laisserait démonter.

— C'est grâce à toutes ces qualités que j'ai d'ailleurs été nommé sergent.

— Félicitations. Belle promotion.

— J'aurais préféré être muté aux fours mais je ne désespère pas. En attendant, je profite de mes nouvelles fonctions.

— C'est-à-dire ?

— J'impose mon autorité. Je renouvelle les travailleurs. C'est bon de changer de têtes de temps en temps. J'ai fait venir de nouvelles détenues au canada et figurez-vous que cette race est bien plus nécrosée que je ne l'imaginais. Chaque jour m'apporte la preuve de leur infériorité et de leur bassesse.

Schüller sembla hésiter un instant puis s'approcha de la table qui le séparait du médecin. Après un rapide coup d'œil à Zelmann qui tapait sérieusement tout ce qui était dit, il se mit à chuchoter.

— Le pire, c'est cette femme…

— Quelle femme ?

— Une Juive française.

Interpellé, Meyer retira ses lunettes et d'un regard interrogateur l'invita à continuer.

— Elle me fait des avances.

— Des avances ?

— J'ai mis une balle dans la tête de son mari sous ses yeux. Elle doit me haïr pour ça, non ?

Le médecin approuva d'un hochement de tête.

— Eh bien, figurez-vous que pour se venger, elle tente de m'ensorceler pour me faire céder à ses charmes. Sans aucun scrupule ni amour-propre. Ces Juifs sont vraiment des moins que rien.

— Vous voulez dire qu'elle voudrait que vous et elle…

— C'est un piège, j'en suis sûr, mais je suis un homme et il y a si peu de femmes ici.

— Mais expliquez-moi. Comment s'y prend-elle au juste ?

Schüller regarda vers le ciel cherchant ses mots.

— C'est-à-dire que… Elle ne fait rien de particulier mais sa présence, son regard, sa voix.

— Qu'est-ce que vous cherchez à me dire, sergent Schüller ? Vous savez ce que notre Führer pense des relations sexuelles avec les Juifs ? Vous en connaissez les risques ?

Sans pouvoir refréner un afflux de sang sur son visage, le sergent opina du chef. Meyer n'en croyait pas ses oreilles. Ce grand gaillard que rien ne semblait pouvoir ébranler n'était pas infaillible. Schüller perçut la surprise du médecin et regretta de s'être laissé aller à des confidences de ce type. Afin de ne pas faillir à son image, il tenta de se raviser.

— N'ayez crainte, *Doktor*, cette sorcière n'aura pas raison de mon intégrité. Je vais lui faire payer ses agissements, croyez-moi.

— Je n'en doute pas. Le plus simple ne serait-il pas de l'envoyer dans un autre *kommando* ?

Schüller marqua un temps d'arrêt.

— Je préfère la garder sous surveillance. Pour qu'elle ne jette pas son dévolu sur quelqu'un de plus faible. Enfin, vous voyez ?

— Écoutez Schüller, dit Meyer en s'approchant du soldat, demandez une permission à notre commandant. Avec vos états de services, il ne vous la refusera pas. Et rentrez chez vous. Vous êtes jeune, beau. Vous trouverez facilement une jolie Allemande qui vous fera oublier cette femme.

Hermann Schüller esquissa un sourire, balbutia quelques mots de remerciements, et quitta le bureau du psychiatre de façon bien moins arrogante qu'à son habitude.

47

20 janvier 1944

Physiquement je vais beaucoup mieux, mais moralement c'est une autre histoire. Malgré toutes les souffrances physiques, les humiliations, la faim, la soif, la perte de mes enfants, mes parents et mon mari, je n'avais que très peu pleuré jusqu'ici. Comme si à chaque nouvelle épreuve quelque chose en moi me poussait à ne pas m'apitoyer, à rester mobilisée pour survivre. Bizarrement, c'est maintenant que je suis dans des conditions beaucoup moins difficiles, que la dépression me gagne. Je pleure tous les soirs. Crises de larmes brèves et abondantes ou sanglots longs et douloureux, impossible de réprimer ma peine. J'ai l'impression d'avoir perdu la force de lutter. Alors que je mange mieux et peux me laver et me changer à ma guise, je me laisse complètement aller. Esther veut que je recommence à chanter comme avant mais je n'en ai plus la force. Ou plutôt l'envie. Hier les filles du canada ont dégoté un morceau de chocolat que nous nous sommes partagé. J'ai mangé le petit carré qui me revenait sans réel plaisir. Il y a quelques jours encore, j'aurais fait n'importe quoi pour croquer dans une de ces délicieuses tablettes dont j'avais le souvenir mais maintenant, plus rien. Cela m'est égal. Je me fiche de tout, d'ailleurs. J'ai perdu l'envie de vivre. J'ai trop souffert, trop supporté, je n'en peux plus.

23 janvier 1944

Une petite voix au fond de moi me crie de me réveiller, de réagir mais j'en suis incapable. Schüller est revenu. Il semblait avoir disparu depuis quelques jours, mais il est de retour. Sous je ne me souviens plus quel prétexte, il m'a emmenée à l'écart des autres et m'a de nouveau forcée à l'embrasser. Je n'ai pas réagi. Je me suis laissé faire. Je sentais cette excroissance de chair allemande se promener dans ma bouche mais je n'ai pas bronché. Mon corps était comme paralysé. J'aurais pourtant voulu le repousser mais mon esprit ne semble plus être en état de commander quoi que ce soit à mon corps. Ma conscience est morte. J'agis par automatisme ou habitude, de façon mécanique mais plus du tout réfléchie. La seule chose que mon cerveau semble encore être capable de faire est d'écrire dans ce fichu carnet. Pourquoi ? Je n'en ai pas la moindre idée. Ça aussi, je le fais sans réfléchir, sans émotion.

Quand, à l'issue d'un long moment, Schüller s'est enfin écarté de moi, je suis restée immobile face à lui. Complètement ailleurs, tel un zombi. Et soudain, mon corps, semblant vouloir exprimer ce que mon cerveau ne pouvait plus faire, a vomi sur les bottes rutilantes de l'Allemand. Il m'a envoyée au sol par une violente gifle sur le visage et a tourné les talons.

48

Début janvier 1944, Auschwitz reçut une visite pour le moins inattendue. Joseph Goebbels, nouvellement nommé inspecteur général de la défense passive, arriva par un triste après-midi neigeux, accompagné de deux de ses aides de camp. Sans sa tenue impeccable et ses cheveux bien peignés, on aurait facilement pu le confondre avec un détenu. Cet homme de taille moyenne, à la santé fragile et d'une extrême maigreur, tentait de dissimuler sous un long manteau noir l'infirmité pourtant bien visible de sa jambe droite. De plus, avec son visage de type méditerranéen et son large nez busqué, il était probablement le représentant du Reich (excepté peut-être le Führer lui-même), à l'apparence la plus éloignée de la race aryenne. Après une brève entrevue avec le commandant Arthur Liebehenschel, il demanda à s'entretenir en privé avec le responsable du programme GEIST 24. Josef Meyer eut du mal à masquer son étonnement face à cet intérêt soudain suscité par son travail. Jusque-là, mis à part ses rapports hebdomadaires envoyés à Berlin, pour lesquels d'ailleurs il n'avait jamais eu de retour, tout le monde semblait avoir oublié l'existence de ce programme. Ce n'est donc pas sans inquiétude qu'il fit entrer Goebbels dans son bureau. Les deux hommes ne s'étaient jamais rencontrés auparavant. Lors de discours de propagande d'avant la guerre, Meyer avait à deux reprises pu apprécier l'incontestable talent d'orateur de cet homme insignifiant à qui l'on devait le triste autodafé[1] de Berlin en 1933, mais jamais il ne l'avait approché.

— *Heil Hitler* !

— *Heil Hitler* !

— *Herr Doktor* Meyer, j'ai fait le déplacement depuis Berlin spécialement pour vous rencontrer.

— Je suis très flatté.

— Vous êtes en charge d'un programme expérimental qui m'intéresse beaucoup : le GEIST 24.

— Le GEIST 24 ! Tiens donc ! Je croyais que tout le monde l'avait oublié, celui-là. Depuis ma prise de fonction, il y a presque un an, personne ne s'en est préoccupé.

— Eh bien, détrompez-vous. J'ai lu tous les rapports que vous envoyez chaque semaine et j'ai besoin de vous.

— Comment ça ? À Berlin, vous voulez dire ?

— Ne nous emballons pas. Il y a quelques semaines, en plus de mes responsabilités ministérielles, notre très respecté Führer m'a nommé inspecteur général de la défense passive.

— Je l'ignorais.

— Pour cette tâche délicate, une étroite collaboration avec les *Gauleiters*[2] est nécessaire.

— Très bien. Mais en quoi cela me concerne-t-il ? Je ne suis pas *Gauleiter*.

— J'y viens, j'y viens. Vous n'êtes pas sans savoir que le moral de nos troupes est au plus bas ?

— La succession des défaites à l'Est y est sans doute pour quelque chose.

---

1. 20 000 livres sont brûlés lors de l'autodafé organisé par Goebbels sur la place de l'opéra de Berlin en 1933.
2. Responsables régionaux politiques du NSDAP et responsables administratifs d'un Gau. Ces fonctionnaires du parti dépendent directement d'Hitler et de la chancellerie du parti nazi.

— Absolument. L'Armée rouge nous a affaiblis. Nous manquons de matériel, de soldats et d'officiers.

— Que dit le Führer ?

— Il refuse de capituler. C'est pour cette raison qu'il a fait appel à moi. Pour renforcer le moral des troupes et compenser les faiblesses du corps des officiers traditionnels, j'ai créé le NSFO[1].

— NSFO ?

— Comprenez les « officiers nationaux-socialistes d'entraînement psychologique ».

— Je crois que je commence à comprendre.

— Les NSFO devront par leur enthousiasme politique renforcer le moral des troupes.

Goebbels marqua une pause et fit quelques pas en direction de la fenêtre. Durant un court instant, il observa silencieux les allées et venues des gardes. Un homme vêtu d'un pyjama rayé s'était approché de la clôture pour ramasser un quignon de pain. Il n'eut même pas le temps de se baisser qu'un soldat le descendit de sang-froid. Le garde alla vérifier d'un coup de pied dans le ventre que l'homme était bien mort puis, fier de sa démonstration de force, se tourna vers le groupe de détenus le plus proche et le menaça de son chien. En fervent partisan de la violence physique, Goebbels était satisfait de ce qui venait de se passer.

— Nos hommes sont heureux ici, me semble-t-il, déclara le ministre sans quitter la scène des yeux.

— Je crois, oui, dans l'ensemble.

— C'était là l'objectif du GEIST 24, n'est-ce pas ?

— Tout à fait. Ce programme a été imaginé par Himmler pour mettre fin à une vague de suicides qui faillit mettre en péril le fonctionnement du camp fin 1942.

---

1. « Officiers nationaux-socialistes d'entraînement psychologique. » Cette fonction a été créée en décembre 1943 sur ordre d'Hitler. Les officiers, choisis dans les rangs de la Wehrmacht, étaient chargés d'enseigner l'idéologie nazie aux soldats dans le but d'accroître leur motivation et leur engagement au combat.

— Et vous avez parfaitement réussi à ce que je vois.

— J'ai fait de mon mieux.

Brusquement, Goebbels approcha son fauteuil de celui de Meyer, et se rassit en regardant le médecin droit dans les yeux.

— Écoutez *Doktor*, je n'irai pas par quatre chemins. J'ai besoin de vous pour transposer votre méthode du GEIST 24 au NSFO. Votre programme est un succès et je veux pouvoir m'en inspirer pour l'éducation politique et nationale des troupes.

— Heu, très bien, balbutia le psychiatre quelque peu dérouté.

— Une réunion des chefs militaires de l'Est est prévue à Posen dans quelques semaines. Vous devez m'aider à élaborer un vaste programme autour du discours que je vais y prononcer. Notre Führer sera présent. Je mets à votre disposition deux de mes collaborateurs pour travailler avec vous sur cette tâche que je considère comme capitale.

— Je suis flatté de la confiance que vous m'accordez, mais je ne suis pas certain d'être qualifié pour un projet de cette envergure.

— Les chiffres parlent d'eux-mêmes, *Doktor*. Vous êtes l'homme de la situation, croyez-moi.

— Et que faisons-nous avec le GEIST 24 ?

— Vous le suspendez jusqu'à Posen. La priorité est donnée au NFSO. Vous devez plancher dessus jour et nuit, si nécessaire. Le premier point à étudier porte sur la hiérarchisation. Il faut décider si les officiers d'entraî-nement politique doivent être placés sous les ordres du chef d'état-major ou sur un pied d'égalité avec lui.

Meyer essaya d'émettre une objection mais Goebbels ne voulut rien entendre. Il se dirigea vers la porte et avant de le saluer, ajouta :

— Mes collaborateurs sont déjà là et vous êtes leur chef. J'attends un rapport journalier de votre part sur l'avancement du projet. Nous devons être prêts pour Posen. Après ça, je me charge de la mise en pratique de la formation politique de la troupe. Vous n'interviendrez plus. Sauf en tant que consultant sur des points précis.

49

Josef Meyer passa le reste de sa journée à faire les cent pas dans son bureau. La visite du ministre l'avait laissé perplexe. Pas question pour lui de contester les ordres, Goebbels étant un homme influent très apprécié d'Hitler. En même temps, la tâche ne le réjouissait pas vraiment. Dès le lendemain, il convoqua les aides de camp censés l'épauler dans cette nouvelle fonction. Les deux hommes qu'il rencontra étaient des modèles de dévotion. Sans chercher à comprendre, ils respectaient et exécutaient scrupuleusement tout ce que la hiérarchie exigeait d'eux. Meyer décida de l'organisation du travail. Pour cette tâche, il devait se passer de l'aide de son secrétaire, Goebbels avait été clair sur le sujet. Lui et ses deux aides de camp. Personne d'autre, même pas le commandant. Josef Meyer exécuta les ordres. Chaque matin, les trois hommes s'enfermaient dans le bureau pour discuter de la mise en place du NSFO. Organisation, hiérarchisation, modalités d'exécution, contenu de la formation et positionnement des *Gauleiters,* tout devait être pesé et tranché avant le grand discours de Posen. Rien ne filtrait de ces réunions classées top secret. Seul le rapport rempli chaque soir par les trois hommes et signé par Meyer avant l'envoi au ministère témoignait du travail effectué entre ces quatre murs.

Zelmann Steinberg fut chargé de rester posté devant la porte du bureau pour en interdire l'accès. Il refoulait les soldats qui, n'ayant pas été informés du changement d'emploi du temps, se présentaient pour leurs rendez-vous habituels. De longs jours durant, Josef Meyer se consacra, selon les ordres de Goebbels, exclusivement au projet du NSFO. Curieusement, ce brusque changement d'activité lui permit de prendre un peu de recul par rapport au GEIST 24 et un soir, il ressortit quelques-uns des dossiers soigneusement classés par son secrétaire. Il en feuilleta certains. Ceux de Schüller et Schwarz étaient sans nul doute les plus intéressants par leur différence. Avec l'un comme l'autre, il avait réussi à établir une relation de confiance qui les amenait maintenant à des révélations intéressantes. Mais Rike Schwarz demeurait de façon évidente la plus grande fierté du psychiatre. Cet homme fragile que Meyer avait rencontré à son arrivée et pour lequel il avait craint un passage à l'acte était aujourd'hui devenu quelqu'un d'autre. Non seulement le médecin ne s'en faisait plus pour lui mais en plus, il avait réussi à le rallier à sa cause. Chacun à leur échelle tentait d'améliorer le quotidien des détenus. Ils étaient ainsi en paix avec leur conscience, même si parfois l'impuissance dont ils souffraient leur laissait une profonde amertume.

Rike Schwarz se présenta d'ailleurs un soir à la porte de la villa de Josef Meyer. Le caporal-chef avait pris l'habitude de raconter en détail tout ce qui se passait au canada, espérant trouver un prétexte pour faire revenir le juge Morgen et se débarrasser de Schüller. Mais le psychiatre avait annulé tous ses rendez-vous pour se consacrer au NSFO, et il ne pouvait attendre.

— Excusez-moi de venir vous déranger jusque chez vous, mais j'avais besoin de vous parler.

— Entrez, Schwarz, et asseyez-vous, répondit Meyer en désignant un fauteuil en cuir de style anglais. Dites-moi ce qui vous amène.

— J'ai surpris Schüller avec une détenue, commença-t-il essoufflé tant la nouvelle avait hâte de sortir de sa bouche.

— Comment ça : surpris ?

— Je l'ai vu embrasser une Juive qu'il a fait venir au canada.

Meyer laissa échapper un soupir, repensant à sa dernière entrevue avec Schüller.

— Il embrassait une Juive ? Vous êtes certain que ce n'est pas plutôt cette femme qui lui faisait des avances espérant obtenir un traitement de faveur ?

— Vous rigolez ! C'est lui qui l'a transférée ici après qu'elle eut chanté pour son anniversaire. Il a trouvé ça tellement joli qu'il voulait pouvoir en profiter plus souvent. Depuis, il lui tourne autour sans arrêt.

— Et il ne se cache pas ?

— Si, bien sûr. C'est une autre détenue qui m'a alerté. Un jour, elle est venue me trouver pour me dire qu'elle s'inquiétait pour son amie. Schüller l'avait emmenée depuis un long moment et elle n'était toujours pas revenue.

— Et là, vous l'avez surpris.

— Non, cette fois-là, je les ai juste trouvés seuls dans une salle à l'écart.

— Depuis, vous l'espionnez ?

Schwarz rougit légèrement.

— Oui. Avec tout ce qu'il me fait subir depuis que je suis ici, j'estime que c'est légitime.

— Certes. Ne vous justifiez pas. Continuez.

— Eh bien maintenant, quand je le vois s'éloigner avec elle, je les suis.

— Et vous les avez vus s'embrasser ?

— Oui, enfin c'est surtout lui qui l'embrasse. Elle, elle ne réagit plus, la pauvre.

— Vous en avez parlé à vos supérieurs ?

— Pas encore. Je voulais vous voir avant. Je veux être certain que ça suffise pour me débarrasser de lui.

— Je n'en suis pas certain. Les relations entre SS et détenues sont sévèrement punies mais, en ce qui concerne Schüller et ses états de services irréprochables, je ne sais pas si le simple fait d'avoir embrassé une Juive suffise à le discréditer. À moins que ça n'aille plus loin et que vous puissiez faire constater le délit pas votre supérieur.

— Et le juge Morgen, que dirait-il ?

— Il ne se déplacera pas pour un incident isolé. Je suis désolé mais il va falloir trouver autre chose.

Meyer attendit que le caporal-chef ait disparu dans la nuit pour s'allumer un de ces gros cigares qu'il réservait habituellement aux grandes occasions. Il sonna ensuite Irena et lui demanda de bien vouloir lui servir un cognac de sa réserve spéciale. Il avait besoin de se détendre. De prendre un peu de recul.

Rike Schwarz avait pris congé du psychiatre, un peu dépité. Il n'était cependant pas résolu à baisser les bras. Cette ordure de Schüller n'allait pas s'en tirer comme ça. Avec cette femme, il continuerait, c'est certain et, peut-être sera-t-il moins prudent à l'avenir. D'ailleurs, il n'était pas le seul. Au canada, les détenues étaient plus belles que dans le reste du camp. Elles n'avaient pas le crâne rasé comme les femmes des autres *kommandos*. Elles mangeaient mieux aussi, si bien que leurs corps étaient plus charnus, plus féminins, et les soldats en manque d'amour n'étaient pas insensibles à leurs charmes. Pour sa part, Rike Schwarz avait adopté une position radicalement différente. Il n'avait jamais été attiré par les femmes mais profitait de sa position pour tenter de leur rendre la vie moins pénible.

50

Malgré son travail pour Goebbels, Josef Meyer n'avait pas abandonné ses activités clandestines. Il veillait à ce que Zelmann et ses amis puissent poursuivre leur action. Chez lui, le potager n'offrait qu'un faible rendement dû aux conditions difficiles de cet hiver rigoureux. Avec l'arrivée du printemps, il espérait augmenter les quantités de légumes que les camarades de son secrétaire parvenaient à venir chercher une à deux fois par semaine.

Irena, elle, était plus belle chaque jour. De temps à autre, Josef Meyer faisait le tour du jardin en sa compagnie et ils discutaient de la météo, des fleurs, des arbres, oubliant l'espace de quelques instants l'horreur de la guerre. Le médecin aimait la regarder sourire. Son visage aux contours réguliers était doux et apaisant. Il imaginait l'odeur de sa peau, la chaleur de sa chair et le goût de ce corps qui le mettait en émoi. Il l'aimait. C'était évident. Et elle ne semblait pas indifférente. Pourtant, jamais ils n'iraient se promener main dans la main dans les rues de Berlin ou d'ailleurs. Josef Meyer se l'interdisait. Il se sentait coupable des sentiments nouveaux qui avaient jailli en lui sans crier gare. Comment une femme si belle et si fragile lui ouvrirait son cœur avec ce que son peuple faisait subir au sien ? Il était Allemand et à ce titre, responsable des atrocités commises au nom de la sainte patrie. Tout comme Irena était témoin de Jéhovah et pour cette unique raison condamnée à être internée dans ce camp. C'était ça, la guerre. Aussi simple que ça.

Pourtant, il arrivait souvent qu'au plus profond de la nuit, dans ses rêves les plus fous, le psychiatre s'imaginât avec elle, libres de s'aimer dans un pays en paix. Il l'embrassait, caressait ce corps aux courbes si parfaites et ils faisaient l'amour plusieurs fois de suite sous les yeux impatients et agacés de son fidèle braque.

51

Josef Meyer mena à terme le travail demandé par Goebbels si bien qu'à Posen, le 26 janvier, le ministre tint, devant une assemblée de généraux, son grand discours sur la nécessité d'une éducation politique des forces armées. Le psychiatre se trouva délesté du poids du NSFO et de ses deux aides de camp, contents de revenir à une activité plus habituelle. Il reprit avec soulagement les rendez-vous du programme GEIST 24 et Rike Schwarz fut le premier de la liste. À la minute où le caporal-chef entra dans son bureau, Josef Meyer comprit qu'il y avait du nouveau. Le soldat affichait une mine inhabituellement réjouie et ses yeux pétillant de malice semblaient vouloir parler.

— J'ai comme l'impression que vous avez fait une découverte, Schwarz.

— Je l'ai vu, *Doktor*. J'ai vu Schüller coucher avec cette femme. Cette fois, je crois qu'on le tient.

— Pas si vite. Expliquez-moi.

— Je sais où il l'emmène. Il y a une pièce très peu fréquentée au premier étage du bâtiment. C'est une salle désaffectée où plus personne ne va. Seuls les SS y ont accès, même s'il n'y a rien à y faire à part peut-être se débarrasser de vieilles choses inutilisables. Il l'emmène discrètement là-bas, fait sa petite affaire puis la renvoie à son poste et redescend un moment après.

201

— Il a vu que vous l'avez repéré ?

— Non. Par contre moi, j'ai bien compris son manège. Ça se passe quand nous sommes en sous-effectif vers l'heure du déjeuner.

— D'autres personnes sont au courant ?

— Non, je ne crois pas.

— Et la femme, elle ne crie pas ? Ne se débat pas ?

— Non. La malheureuse n'est pas en état de grand-chose. Je ne sais même pas si elle est consciente de ce qui lui arrive.

— Elle n'est pas ce qu'ils appellent une « musulman » ?

— Physiquement, ça va. Elle est plutôt moins maigre qu'à son arrivée, mais elle n'a pas l'air très bien. Au début, elle pleurait tout le temps, maintenant, elle semble ne plus réagir à rien. Tel un zombi.

— Hum. Ça lui facilite le travail, en plus.

Meyer se leva et sembla réfléchir quelques instants avant d'ajouter :

— Voilà ce que nous allons faire…

Schwarz écouta sans l'interrompre le médecin lui expliquer son plan. Le système était simple et infaillible. Contrairement à son prédécesseur, le commandant ne tolérait pas ce genre d'abus, il suffirait à Meyer de le conduire au canada au moment indiqué par Schwarz pour que le sergent se fasse sanctionner sur-le-champ.

52

Hermann Schüller ne se sentait pas épié et continua sans scrupule ses viols quotidiens sur Sarah Lindbergh. Sa conscience, au début perturbée par cette attirance pour une femme juive, avait fini par se trouver de bonnes excuses. C'était là une nouvelle manière de faire comprendre à ce peuple infâme qu'il ne pourrait jamais se soustraire à la domination aryenne. N'était-ce pas ce qu'il avait appris aux *Hitlerjugend*, après tout ? Ce n'est que s'il avait ressenti la moindre ébauche d'un sentiment amoureux qu'il aurait trahi le Reich. Mais ce n'était pas le cas. Plutôt mourir que d'admettre une chose pareille.

Sa vie à Auschwitz le satisfaisait entièrement et, aussi loin qu'il pouvait chercher dans sa mémoire, Schüller devait bien reconnaître qu'il n'avait jamais été aussi heureux. Il avait réussi. Il était devenu un membre de la SS respecté, admiré et craint par ses pairs. Au canada, il régnait en maître. Personne n'osait le défier. Grâce à sa position, il parvenait à s'enrichir sur le dos des détenus et au nez de ses supérieurs. Depuis qu'il avait échappé au juge Morgen, il se sentait même invincible. De temps à autre, il continuait à aller assouvir ses pulsions sadiques aux crématoires. Il aimait assister à l'accomplissement de la « solution finale » si admirablement mise en place par la sainte patrie. Généralement, ces soirs-là, il rentrait se coucher le cœur léger, avec un sentiment de devoir accompli. Après la guerre, il espérait que grâce à ses états de services, il obtiendrait un poste haut placé dans l'administration. En grand mégalomane, il se plaisait à penser qu'avec quelques années de plus, il aurait pu devenir, en ces temps si délicats, un proche conseiller du Führer lui-même.

Le dimanche 30 janvier 1944, Schüller écouta avec une admiration sans faille le discours d'Adolf Hitler retransmis à la radio. Comme toujours, le Führer y exprimait sa foi inébranlable en la victoire, et soulignait le rôle historique joué par le national-socialisme. Seule ombre au tableau, l'alerte aérienne entendue pendant le discours, laissait soupçonner une situation de crise à Berlin. Le sergent n'était pas sans savoir que la capitale était toujours la cible de bombardements, mais c'était la première fois que la menace lui apparaissait de façon si réelle. L'espace d'un instant, Schüller sembla inquiet. Inquiétude d'autant plus justifiée que quelques heures plus tard, il apprenait qu'à l'Est les troupes avaient du mal à repousser les attaques de l'ennemi. Puis il repensa au discours du Führer. Hitler n'aurait pas donné un avertissement aux Anglais quant à l'avenir de l'Europe s'il n'était convaincu de la victoire de l'Allemagne. Les Anglais finiraient par comprendre que ce sont les Juifs qui ont orchestré ce conflit au profit du bolchevisme. Ils se rangeraient alors aux côtés du Reich et ensemble gagneraient la guerre. Schüller en était convaincu.

53

Au fil des jours, Zelmann Steinberg parvint à développer l'action du *Kampfgruppe* Auschwitz de manière significative. En janvier 1944, il prit en main l'organisation des évasions et en augmenta le taux de réussite. Avec l'aide de Josef Meyer, il se chargeait de préparer cartes, vivres et médicaments pour les futurs évadés à qui il remettait aussi quelques adresses d'asile. À l'extérieur, il établissait le contact avec des groupes de Polonais chargés d'aider les fugitifs après le franchissement des barbelés. Le plus difficile restait de trouver, à l'intérieur même du camp, une cachette à l'abri des regards des gardes et du flair des chiens. L'organisation mise en place par Zelmann s'avéra si efficace que pratiquement toutes les évasions orchestrées réussirent. Généralement, elles s'effectuaient par groupe de trois, avec toujours un Polonais parmi eux afin de faciliter la communication avec les contacts extérieurs.

Ce soir-là, c'était au tour d'Esther. Son affectation au canada avait amélioré ses conditions de détention mais n'avait pas entamé son rêve de liberté. Depuis des semaines, elle était sur la liste du *Kampfgruppe*. À cause de sa jambe handicapée, elle n'avait pas proposé à Sarah de fuir avec elle mais lui avait laissé entendre que si un jour elle parvenait à sortir du camp, elle donnerait l'alerte et reviendrait la chercher avec l'aide des autorités. Ce genre de paroles, qui jadis avait le pouvoir de redonner force et espoir à Sarah, ne semblait plus avoir aucun effet sur elle. Elle avait perdu toute foi en l'avenir, ne réagissait plus. Elle subissait. Les Allemands avaient eu raison de son esprit. Son corps suivrait bientôt. Pourtant, Esther avait essayé de l'aider en dénonçant l'Allemand qui la violait impunément chaque jour. Mais rien n'avait changé. Quotidiennement, le monstre revenait s'offrir sa proie facile. Aujourd'hui, Esther était partagée entre la joie et l'angoisse que suscitaient son évasion et la culpabilité d'abandonner son amie dans les griffes du loup. Elle savait que jamais elles ne se reverraient. Sarah serait probablement emportée par la mort avant l'arrivée des Russes.

À sa sortie du canada, Esther embrassa longuement son amie et lui fit promettre de résister. Elle eut du mal à garder le secret de son évasion prévue la nuit suivante mais leur sécurité à toutes les deux en dépendait. Elle ne put cependant retenir une larme que Sarah sembla remarquer.

Avant l'appel du soir, Esther se rendit dans une cachette après la ligne des avant-postes. Là, elle devait rencontrer ses deux co-fugitifs avec les instructions à suivre.

Son cœur battait la chamade. Une seule erreur et c'était la mort assurée. Après un dernier regard à son amie, elle s'élança dans la nuit glaciale. Elle courut à perdre haleine dans la direction qui lui avait été indiquée. À tout moment, un chien ou un SS pouvait surgir et la condamner à une mort immédiate mais elle préférait ne pas y penser. Dissimulée par des pierres et de la terre, elle trouva non sans mal la planque où Edek, un Polonais d'à peu près son âge, et Simon, un Français à peine plus vieux, l'attendaient.

— Ça y est, on est tous là, déclara Edek en aidant la jeune fille à s'asseoir près d'eux.

— Tiens, mets ça sur tes épaules ! ordonna Simon en lui tendant une sorte d'étole.

Esther obéit.

— Nous devons attendre ici quatre jours avant de nous évader, continua-t-il.

— Quatre jours ! répéta Esther presque dans un murmure.

— À l'appel, ils vont constater notre disparition et partir à nos trousses. Ils lanceront les recherches et les sentinelles resteront postées durant trois jours. Passé ce délai, ils abandonneront et c'est à ce moment-là que nous pourrons franchir les limites du camp, en sécurité.

Esther acquiesça.

— Nous avons des vivres, des médicaments. Tout se passera bien, rassura le Français.

Ils se partagèrent un peu de pain, et s'endormirent serrés les uns contre les autres pour se protéger du froid.

Ils passèrent les jours et les nuits suivantes partagés entre moments d'angoisse et bouffées d'espoir. Pendant ce temps, les deux hommes expliquèrent à Esther le déroulement de l'évasion. Enfin, c'était surtout Simon qui parlait, Edek restait la plupart du temps silencieux.

— Nous allons réussir, dit-il soudainement. Mes amis nous attendent.

Esther et Simon échangèrent un regard et se serrèrent la main pour se réconforter l'un l'autre.

La quatrième nuit arriva enfin. Aussi glaciale que les précédentes. Après un dernier regard sur le camp où ils avaient vécu les mois les plus terribles de leur existence, les trois jeunes gens s'élancèrent vers la liberté. Ils couraient droit devant, sans se retourner. Par chance, la neige vint instantanément recouvrir toute trace de leur évasion. Comme prévu, un Polonais des alentours les attendait à l'endroit indiqué sur la carte. Edek fut d'une aide précieuse pour établir la communication. Le Polonais les cacha quelques heures, le temps pour les trois fugitifs de se réchauffer et de dormir un peu. Le lendemain, après une soupe chaude accompagnée d'un morceau de pain, ils échangèrent leurs vêtements contre des habits propres et secs, et prirent la route. Dix jours après, ils franchissaient la frontière slovaque. Ils étaient sauvés. Edek prit congé de ses camarades, alors qu'Esther et Simon décidèrent de continuer leur chemin ensemble. La jeune femme repensa à Sarah, restée au camp. Était-elle encore en vie ?

54

27 février 1944

Il est mort. Je l'ai tué. Et je suis revenue à la vie. Cette ordure m'a violée durant des semaines sans que je sois capable de la moindre résistance. Hier, il est revenu me chercher pour me traîner dans cette sordide salle où il m'emmène chaque jour. D'abord il m'a embrassée, m'a dit quelques mots en allemand que je n'ai pas compris, puis m'a retiré mes vêtements. Il a ensuite longuement promené sa langue sur mon corps. Mes seins, mes fesses, mon cou. Sa bave répugnante a recouvert la quasi-totalité de ma peau tandis que je sentais son sexe grossir sous son uniforme. N'y tenant plus, il a baissé son pantalon et est entré violemment en moi. J'étais paralysée. Comme à chaque fois depuis que ce salaud a décidé de faire de moi sa chose. Peu importe puisque ça faisait des jours que j'avais perdu la force de vivre. Pourtant hier, alors que dans un cri rauque à peine étouffé, son corps s'est relâché sur le mien, des images me sont revenues. La photo de ma famille que je garde toujours précieusement dans ce carnet m'est apparue comme l'ultime vestige d'un bonheur à jamais disparu. Puis le dernier regard d'Isaac quand ce monstre l'a tué, la larme d'Esther et le sourire d'Hannah mon bébé qui, je recommence à y croire, vit toujours quelque part, m'ont définitivement ramenée à la vie. D'un coup, toute cette haine contenue a surgi hors de moi. J'ai saisi une des barres de fer qui jonchaient le sol pour transpercer la gorge de mon agresseur. Ce porc n'a pas eu le temps de réagir. Avec une profonde satisfaction, j'ai soutenu son regard implorant quand, dans son agonie, il se vidait de son sang. Il s'est effondré sur moi. Mort. Comme par miracle, mon corps a su puiser en lui la force nécessaire pour se dégager. J'ai essuyé ce sang allemand qui avait jailli sur moi, me suis rhabillée avant de redescendre à mon poste de travail. Je n'avais plus peur.

1er mars 1944

J'ai l'impression de revivre. Je suis sortie de ma torpeur. Esther est partie. J'espère qu'ils ne l'ont pas rattrapée. Si je suis encore en vie, c'est en partie grâce à elle. Je lui dois beaucoup. Et maintenant qu'elle est libre, elle va donner l'alerte. Elle va leur dire ce qu'il se passe ici et on va venir nous libérer. Je tiendrai jusque-là. Il le faut. Je ne sais pas s'ils ont découvert le corps de l'Allemand. On n'en a pas entendu parler en tout cas. Mes cheveux ont bien poussé et je me sens à nouveau humaine. Je vais vivre, Hannah. Je vais venir te chercher et nous serons heureuses. Je te le promets, ma chérie. Nous serons heureuses.

3 mars 1944

Toujours pas de nouvelles du corps de l'Allemand. Par moments, je crains qu'ils ne remontent jusqu'à moi, mais jusqu'à présent, ils ne semblent pas s'en inquiéter. Mes camarades du canada disent que la fin de la guerre est proche. Par la radio, elles ont appris de bonnes nouvelles. Les Russes avancent à ce qu'il paraît. Je n'ose pas y croire. Depuis des mois je pense toujours avoir vécu le pire quand une nouvelle atrocité se présente, alors je ne veux pas me réjouir trop vite, même si au fond de moi, la flamme s'est rallumée. Je vais survivre à tout ça. Mon corps va déjà mieux. J'ai repris un peu de poids et la dépression s'éloigne. Depuis l'accident du *kommando*, je traîne la jambe mais elle ne me fait plus souffrir. Malgré l'absence de soins, la plaie s'est refermée et je ne crains plus de la voir se gangrener. Peut-être même qu'un jour je pourrai de nouveau courir. Courir avec toi, mon bébé, quand dans quelques années nous irons pique-niquer dans les bois. Nous cueillerons des fleurs en écoutant le chant des oiseaux.

55

— Nous n'aurons pas besoin de mettre notre plan à exécution ! annonça triomphalement Schwarz en entrant dans le bureau de Josef Meyer.

— Notre plan ? Quel plan ?

— Schüller ! Il a été retrouvé mort, ce matin !

— Mort, vous dites ?

— Une barre de fer plantée dans la gorge. Il s'est fait saigner comme un porc.

— On sait qui a l'a tué ?

— Nos supérieurs n'ont pas l'air de s'en soucier. Il avait le pantalon au niveau des chevilles. Situation plutôt compromettante pour un SS, si vous voyez ce que je veux dire.

— Évidemment. C'est le genre de publicité dont on préfère se passer.

Le psychiatre se leva perplexe et fit quelques pas dans son bureau. Schwarz le laissa mariner quelques instants puis ajouta :

— Moi, j'ai ma p'tite idée.

— Vous voulez dire que vous savez qui a fait le coup ?

— Parfaitement.

— Écoutez, Schwarz, j'étais d'accord avec vous pour coincer Schüller, pas pour me rendre complice d'un meurtre. Vous détestiez cet homme, c'est indéniable mais il est de votre devoir de dénoncer son assassin si vous le connaissez.

— Hé *Doktor*, vous fatiguez pas. C'est une Juive qui l'a tué. Celle qu'il violait depuis des semaines. Et si vous voulez mon avis, elle a bien fait.

Le lendemain matin, sous prétexte de rendre un briquet oublié dans son bureau, Josef Meyer se rendit au canada. Il voulait voir à quoi ressemblait la femme qui avait anéanti un des plus robustes spécimens de la SS. C'était la deuxième fois qu'il pénétrait dans ce lieu. Comme lorsqu'il y avait accompagné le juge Morgen, il fut saisi par la quantité d'objets et eut un haut-le-cœur en passant devant la pièce où s'amoncelaient des milliers de cheveux au milieu desquels traînaient parfois un crâne ou deux. Non surpris de la visite, Schwarz fit signe au médecin de le rejoindre au fond de la salle.

— J'étais certain que vous viendriez voir qui elle est, chuchota-t-il en désignant Sarah du coin de l'œil.

56

5 mars 1944

Je travaille maintenant avec l'équipe de nuit. C'est encore plus tranquille, il y a moins de garde. Je me suis liée avec Kitty, une jeune Hongroise. Elle me fait penser à Esther. L'autre matin en quittant le canada, nous avons réussi à introduire des draps dans notre block. J'avais oublié la sensation de confort que cela procure. Un vrai luxe. J'ai recommencé à chanter et à rire aussi, parfois. Mais quand au lever du jour je sors pour rejoindre mon baraquement, les cheminées carrées des crématoires, la puanteur des corps brûlés, les hurlements de peur, de douleur et d'horreur me ramènent à la réalité du camp. Ma situation est en total décalage avec ce qu'il se passe autour. Si proche de l'enfer, j'ai conscience de faire partie des privilégiées. C'est pour cela que nous devons continuer à espérer, à rire et à chanter, pour ne plus risquer de laisser le désespoir prendre le dessus.

7 mars 1944

Toujours pas de nouvelles du corps du SS Schüller. Tant mieux. Comme mes camarades, il m'arrive parfois de me maquiller. Je me rosis légèrement les joues pour avoir meilleure mine. Je ne risque pas les sélections, comme ça. Ici, on n'est pas trop concernées mais je suis consciente que je peux perdre mon statut de privilégiée d'un jour à l'autre. Dans un autre *kommando*, mes chances de survie ne seraient plus les mêmes. J'ai déjà tellement enduré. Mon corps est à bout. Pendues à la radio, nous sommes à l'affût du moindre message qui pourrait nous laisser penser que la fin de la guerre est proche. Pour l'instant, nous ne parvenons qu'à capter des phrases que nous ne comprenons pas toujours. « Athalie est restée en extase. Nous disons deux fois. Athalie est restée en extase. » Le fait de se répéter doit avoir une signification mais moi, je n'y comprends rien. Enfin je n'aurai pas besoin d'explications quand les Russes seront là pour nous libérer.

57

Zelmann Steinberg s'affairait dans le bureau quand Josef Meyer entra.

— Votre ami le docteur Wirths s'est mis à profiter de la situation lui aussi, annonça-t-il.

— Que voulez-vous dire ?

— Il envoie des femmes au block 10 pour les expériences de Clauberg.

— Qui vous a dit ça ?

— J'ai mes sources.

— Vos sources ! Vos sources ! Sont-elles au courant, vos sources qu'il y a des ordres auxquels nous ne pouvons nous soustraire ? Et puis je ne vois pas en quoi il profite de la situation, comme vous dites.

— Son frère est gynécologue à Hambourg. Il collabore avec lui sur un procédé visant à établir un diagnostic précoce du cancer de l'utérus.

— Où est le mal ? Il ne fait subir aucun sévice à ces femmes.

— Vous n'êtes pas sans savoir que le moindre examen passé ici, aussi inoffensif soit-il, est un supplice. Ces femmes craignent les sélections et les tortures de Clauberg ou Mengele.

— Vous avez raison, c'est sans doute une épreuve pour elles.

— Et puis, il y a le typhus aussi.

— Vous n'allez pas rendre Wirths responsable du typhus, quand même ? C'est pour stopper cette épidémie qu'on l'a envoyé ici, et il ne s'en est pas trop mal tiré, je crois.

— Demandez aux quatre personnes du block 20.

— Quelles personnes ? Enfin, parlez Zelmann ! Ne faites pas tant de mystères !

— Le docteur Wirths veut tester sur eux un nouveau remède contre le typhus. Seulement, ces personnes bien portantes hier, souffrent aujourd'hui de fortes fièvres.

— Vous sous-entendez que Wirths leur aurait inoculé la maladie pour essayer un nouveau remède supposé les guérir ?

— Parfaitement. Sauf que si le médicament s'avère inefficace, ces gens seront probablement morts demain matin.

Josef Meyer sembla pris de court.

Le soir venu, il se hâta vers sa villa sans s'arrêter au « *Wein als Bier* » siroter un cognac. Il y allait de moins en moins souvent d'ailleurs. Il préférait rentrer chez lui et retrouver Irena. Bien sûr, il ne lui avait toujours pas parlé de ses sentiments à son égard mais il aimait être en sa compagnie. Sa présence le rassurait. Avec elle, il parvenait même parfois à en oublier la guerre et ceux qu'il avait perdus. Dariuz et Anatol ne savaient que penser de l'attitude du médecin. Il avait toujours été bon avec eux mais ils craignaient qu'il ne profite de sa position. Comme les autres.

58

25 mars 1944

Voilà quelque temps que je n'ai pas écrit. Mais je vais recommencer. Ici les filles disent que si nous nous en sortons, nous avons un devoir de mémoire. Il nous faudra témoigner coûte que coûte. Pour que le monde sache ce qu'ils nous ont fait. Elles ont raison. C'est pourquoi je recommence à tenir ce journal. Comme ça, même si je ne parviens pas à survivre, mon carnet sera ma mémoire, mon témoignage. Je regarde la photo de ma famille aussi souvent que je le peux. Hannah est mon unique raison de vivre et d'espérer. Mes journées sont de loin les moins terribles que j'ai eu à supporter jusque-là. Pourvu que ça dure. Mon travail n'est pas pénible physiquement, j'ai à trier des affaires confisquées aux nouveaux arrivants. Cependant il m'arrive de penser aux propriétaires de ces objets. Des femmes comme moi, avec leurs familles qui, au moment où je touche à leurs objets, à leurs biens les plus personnels, sont pour la plupart en train de brûler. Mais je n'ai pas honte de manger leurs biscuits, ou de prendre leurs vêtements. La notion même d'humanité a dû me quitter le jour où celle de ma survie est apparue. Il n'y a plus que ça qui compte. Survivre, quel qu'en soit le prix.

31 mars 1944

Un SS est venu me trouver. SS Schwarz, celui qui avait fait venir Esther au canada. « Je sais que c'est toi qui as planté Schüller... » m'a-t-il chuchoté dans l'oreille dans un très bon français. J'ai aussitôt blêmi. Il a ajouté qu'il ne me dénoncerait pas. Il dit vouloir me protéger mais pour cela, il serait préférable que je quitte le canada, d'après lui. Que je travaille dans un autre *kommando*. L'affectation à l'équipe de nuit était de son initiative mais il craint que ce ne soit pas suffisant. Il changera la date sur les registres pour que je ne figure plus sur la liste des détenues du canada au moment du meurtre. Comme ça, si un jour quelqu'un venait à s'intéresser de plus près à cette affaire, je ne serais pas inquiétée. Schüller était un sergent très apprécié par sa hiérarchie et ils risquent de vouloir comprendre ce qui lui est arrivé, a-t-il précisé. J'ai accepté. De toute façon, je crois que je n'ai pas vraiment le choix. Il m'a parlé de l'*Union Werke*, une usine d'armement à la limite de la zone de surveillance. Le travail se fait dans un hangar clos et chauffé, dans des conditions correctes, selon lui. Je crains les sévices et la faim qui me tiraillera de nouveau, mais je lutterai. Je survivrai. Pour Hannah. Pour témoigner.

59

Le train de Josef Meyer entra en gare de Salzbourg à onze heures. Hitler avait eu vent de sa collaboration sur le dossier des NSFO et souhaitait le féliciter en personne. Goebbels l'attendait depuis peu et ensemble, ils entreprirent le voyage jusqu'à l'Obersalzberg[1]. Le train qui les mena jusqu'au *Berghof* leur était entièrement réservé. Ils déposèrent leurs affaires dans le compartiment et se rendirent directement au wagon-restaurant. Une table près de la fenêtre attendait les deux hommes. Ils s'y installèrent face à face afin que chacun puisse admirer la beauté de cette région des Alpes bavaroises.

— N'est-ce pas magnifique ? s'exclama le ministre en désignant le paysage recouvert de neige.

— Splendide ! Je comprends que notre Führer aime se retirer dans cette région.

— La vie y est paisible et il retrouve ici un entourage plein d'égards pour lui, ce qui n'est pas le cas en Allemagne en ce moment, ne put s'empêcher de préciser Goebbels.

— Le contexte y est difficile, à ce que l'on dit.

— Berlin est toujours la cible de bombardements, c'est certain, mais la presse anglaise commence à sérieusement

---

1. Montagne des Alpes bavaroises où se trouve le Berghof, résidence préférée d'Hitler.

critiquer ces raids. Certains articles vont même jusqu'à faire porter à l'Angleterre la responsabilité de la guerre aérienne.

— La presse n'a pas toujours été de notre côté, à quoi est dû ce revirement ?

— Notre dernier raid sur Londres a été particulièrement violent, et puis le pape s'est exprimé dans *l'Osservatore Romano*. Il y condamne fermement les bombardements du Vatican et du monastère de Monte Casino.

— Évidemment, ce n'était pas fin de leur part de s'attaquer à la cité papale.

— Par contre, ce n'est pas mauvais pour nous. Nous avons su tirer profit de ce changement dans l'opinion, et j'espère qu'au niveau de la guerre aérienne, nous allons vite reprendre le dessus.

Un serveur vint prendre la commande. Josef Meyer qui n'avait pas ouvert la carte s'en remit au choix du ministre : un *Schweinebraten*[1] accompagné de *Knödels*[2].

Goebbels leva son verre.

— Au *Führer* ! dit-il avant d'avaler une petite gorgée de Petrus.

— Au *Führer*, répondit Meyer en l'imitant.

À leur arrivée au *Berghof*, les deux hommes furent accueillis par Fraülein Eva Braun. Hitler viendrait les saluer après sa conférence d'état-major, dit-elle en les guidant à l'intérieur du bâtiment. Elle leur proposa un rafraîchissement mais Goebbels préféra se retirer quelques instants dans sa chambre. Josef Meyer l'imita. Le froid de ce mois de mars n'incitait pas à de longues promenades en extérieur. Le psychiatre laissa cependant la fenêtre de sa chambre entrouverte afin de laisser s'engouffrer un filet d'air pur et sain. Après de longs mois à Auschwitz, il avait

---

1. Spécialité bavaroise : rôti de porc cuit dans la bière brune avec des oignons, du persil, de la marjolaine et de l'ail.
2. Spécialité autrichienne proche des quenelles.

presque oublié l'agréable sensation de respirer sans avoir à supporter cette terrible odeur de fumée et de corps brûlés devenue si familière.

La chambre était spacieuse mais sommairement meublée. Un lit avec deux tables de chevet, une grande armoire en bois sculpté et un bureau sur lequel était déposée une imposante machine à écrire. Sur le mur face au lit, un portrait du *Führer* forçait le respect. Josef Meyer se sentit mal à l'aise. Il n'avait rien à faire au milieu de tous ces conseillers, ministres et généraux. Il pensa à sa femme et fut presque soulagé de la savoir morte. Angela aurait très mal supporté que son mari séjourne, ne serait-ce que quelques heures, dans la résidence privée d'Adolf Hitler. Et Irena ? Voilà une raison de plus de ne rien espérer avec elle. Chaque jour, la guerre se chargeait de lui rappeler qu'un tel amour restera à jamais impossible.

Vers dix-huit heures, Goebbels vint le chercher. Ils descendirent dans le grand salon où un magistral feu de cheminée avait été allumé. Les hommes fumaient en débattant des positions de l'armée allemande, alors que de l'autre côté de la pièce, les femmes semblaient avoir des conversations beaucoup plus légères. Par moments, on les entendait s'esclaffer et certains leur jetaient alors des regards amusés. Josef Meyer nota la présence de la plupart des plus hauts dignitaires du Reich : Heinrich, Himmler, Friedrich et bien évidemment Göring, le préposé à la succession au poste de chancelier. Le médecin ne put s'empêcher de s'interroger sur les raisons qui avaient pu pousser Adolf Hitler à choisir un morphinomane comme successeur et principal conseiller. L'homme semblait d'ailleurs de plus en plus dépendant de la drogue et, par conséquent, de moins en moins enclin à assumer des responsabilités à la tête du Reich.

Le *Führer* vint saluer Goebbels et Meyer. C'était la première fois que le psychiatre l'approchait et il fut beaucoup moins impressionné qu'il ne l'aurait imaginé. Hitler était très petit avec en prime un problème aux yeux qui lui donnait un air vulnérable, loin de l'image puissante qu'il s'était construite ces dernières années. Il se montra courtois et chaleureux envers Josef Meyer et le remercia pour sa collaboration au programme NSFO. Le *Führer* se rendit ensuite dans la grande salle à manger du rez-de-chaussée où il s'installa au bout de l'immense table. Il fut rapidement rejoint par tous les généraux et ministres présents dans le salon. Jusque-là, excepté Goebbels, personne ne semblait lui prêter attention et Josef Meyer s'en trouvait soulagé. Durant le dîner, l'affaire finlandaise alimenta nombre de conversations auxquelles il ne prit pas part. Il se contenta de légers signes de tête à l'encontre de ceux qui semblaient vouloir connaître sa position. Il ne put cependant se dérober quand Goebbels demanda au *Führer* de réformer la *Wehrmacht* de façon radicale.

— *Herr* Meyer, pensez-vous que nos officiers nationaux socialistes d'entraînement psychologique pourront obtenir les résultats que nous espérons si l'armée est dirigée par des généraux vieillissants ?

Le médecin répondit de façon évasive pour ne blesser personne mais suffisamment explicite pour faire basculer la discussion sur la question des effectifs. Problème crucial sur tous les fronts. Son analyse sembla d'ailleurs intéresser le *Führer*. Puis, progressivement, à mesure que le repas avançait, les discussions se firent moins sérieuses. La grande quantité d'alcool consommée commença à se faire sentir. Les hommes déboutonnèrent leurs vestes et invitèrent les femmes à se rapprocher. Seul Hitler, sobre comme toujours, demeurait inflexible. Meyer profita du réchauffement de l'ambiance pour regagner sa chambre. Finalement, Auschwitz lui manquait.

60

4 avril 1944

Je suis arrivée à l'usine hier. Les hangars de l'*Union Werke*
ont beau être clos et chauffés, ce n'est pas aussi bien que
le canada. D'après SS Schwarz, je suis plus en sécurité ici,
cependant, l'idée de travailler pour la fabrique d'armement
me déplaît. Ça doit d'ailleurs se lire sur mon visage parce
qu'à peine arrivée à mon poste, une jeune Française nommée
Isabelle, je l'ai appris par la suite, m'a soufflé : « Ce n'est
pas avec ces quelques grenades que l'Allemagne gagnera la
guerre. » Elle m'a fait rire. Heureusement qu'il y a encore
des personnes comme elle ici. Elle est à la table où l'on
travaille assises à ajuster des ressorts dans les mécanismes
pour grenades. Moi, j'ai été affectée à la pièce d'à côté : celle
de la poudre. Je repense souvent à Esther. J'espère qu'elle
a réussi et qu'elle enverra des gens pour nous délivrer. Et
je pense à Hannah. Tu auras bientôt quatorze mois. Je
t'imagine essayant de te dresser sur tes petites jambes. Je
n'aurais pas été là pour tes premiers pas, ni tes premiers
mots, mais je te promets que tu me montreras bientôt tout
ça. Et je serai fière. Très fière.

15 avril 1944

Nous avons eu de la visite. On nous a annoncé ça
comme un événement. J'ai d'abord eu peur que ce ne soit

pour moi à cause de l'Allemand. Pendant deux jours, tout le monde était en effervescence. Il a fallu briquer les ateliers de fond en comble. Tout devait être impeccable pour l'inspection. Quelque part ça m'a rassurée. Il n'y aurait pas eu tout ce cérémonial juste pour moi. Pour m'emmener à la chambre à gaz. Pourtant le lendemain, quand le cortège est arrivé, je tremblais comme une feuille. J'ai gardé la tête baissée craignant à chaque seconde que l'un d'eux ne se dirige vers moi. Le dignitaire nazi que je n'ai pas reconnu était accompagné d'une dizaine d'officiers. Ils sont passés rapidement devant chaque atelier, pour s'attarder assez longuement devant celui où sont terminées les grenades. Quand j'ai enfin réalisé que seuls les explosifs les intéressaient, j'ai pu recommencer à respirer normalement. Le dignitaire nazi s'est ensuite entretenu avec le directeur de l'usine. Il semblait très en colère. Après son départ, c'est sur nous que l'orage s'est abattu. « *Schnell ! Au travail !* »

61

À peine Josef Meyer était-il de retour à Auschwitz qu'Heinrich Himmler annonça sa visite prochaine. Le protocole aurait sans doute préféré qu'à son arrivée le *Reichführer* s'entretienne avec le commandant, mais Himmler n'aimait pas Arthur Liebehenschel. Il le jugeait trop mou, insignifiant même. Il s'était d'ailleurs vivement opposé à sa nomination au poste de commandant d'Auschwitz mais, pour calmer les plus sceptiques, ceux qui en Europe et ailleurs commençaient à trop parler des camps et risquaient d'entraver le bon déroulement de la solution finale, ils avaient besoin d'un homme affable.

À son arrivée à Auschwitz, le *SS-Reichführer* était comme à son habitude accompagné d'une importante délégation. Ses fidèles officiers, avec qui il entretenait des rapports privilégiés, ainsi que quelques aides de camp avaient fait le déplacement depuis Berlin. Avant son inspection, Himmler demanda à s'entretenir en privé avec Josef Meyer. Les deux hommes s'étaient une première fois rencontrés au *Berghof* quelques semaines auparavant et le haut dignitaire connaissait l'estime que lui témoignait Goebbels. Il voulait en savoir plus sur Arthur Liebehenschel. En voilà un qui ne va pas faire long feu à Auschwitz, se dit Meyer quand il comprit l'objet de son entretien avec Himmler. Décidément, ça devenait une habitude. À chaque fois que le commandant du camp était dans le collimateur, c'était à lui qu'on s'en remettait. Pour Rudolf Höss, le juge Morgen avait sollicité son avis et maintenant, il semblait que le nouveau ne donnait pas entière satisfaction non plus. Avec Himmler, Meyer resta très évasif. Même s'il n'appréciait pas particulièrement Arthur Liebehenschel, celui-ci présentait l'immense avantage d'avoir amélioré les conditions de détention des internés et surtout, celui de contribuer à son insu au renforcement de la résistance interne. C'est justement de toutes ces choses qu'Himmler souhaitait s'entretenir. En haut lieu, Liebehenschel était vivement critiqué. Pas assez pragmatique alors qu'il allait bientôt falloir organiser l'extermination des Juifs hongrois. Les premiers convois devaient arriver sous quelques jours et il fallait être prêt. Après son entrevue avec Meyer, le dignitaire accompagné de toute sa délégation parcourut le camp. Ils passèrent au crible la quasi-totalité du KL[1] et s'attardèrent plus longuement à l'usine d'armement. Là non plus Himmler n'était pas satisfait du travail effectué par l'*Union Werke*. Il fallait produire, produire plus, plus rapidement. Sur tous les fronts, l'armée manquait de munitions et ce n'était pas le moment de flancher. Il ordonna au directeur de la manufacture d'accroître la production par tous les moyens. Il renouvela son autorisation, qui devint presque un ordre, d'utiliser la main-d'œuvre juive, jusque-là exclue de l'usine d'armement.

De retour à Berlin, Heinrich Himmler rédigea un nouvel ordre de mission à l'attention de Rudolf Höss.

---

1. *Konzentrationslager* : camp de concentration.

62

30 avril 1944

Hier, nous avons ri. Un fou rire même. J'avais oublié l'effet que ça faisait. C'est tellement bon de se sentir vivante. Nous étions dehors pour l'appel du soir. À côté de nous se tenait une fille du *kommando* de pommes de terre. L'air de rien, elle essayait de s'*organiser* quelques patates. Avant de quitter son poste, elle en avait caché un peu partout sous ses habits. Manque de bol, la kapo l'a fouillée et a tout de suite découvert le larcin. La fille s'est alors fait corriger et, au fur et à mesure que les coups de bâton s'abattaient sur elle, les patates tombaient en cadence sur le sol. Un nombre incalculable de pommes de terre glissaient le long de ses jambes sans qu'elle puisse en retenir une seule. On avait l'impression qu'elles ne s'arrêteraient jamais de tomber. Un vrai gag. Pour un peu, on se serait cru dans un film comique. On a toutes été prises d'un rire nerveux que nous avions du mal à dissimuler. Heureusement pour nous, la kapo était tellement occupée à battre cette pauvre fille qu'elle ne nous a pas remarquées. Plus tard, quand on s'est retrouvées allongées sur nos *koyas*, la fille en question a juré qu'elle ne recommencerait plus jamais.

3 mai 1944

Depuis que j'ai quitté le canada, je n'ai plus de nouvelles de l'extérieur. À l'*Union Werke*, on n'a pas l'occasion d'écouter la radio. Le directeur en a bien une dans son bureau mais il est impossible pour nous de l'entendre. Du coup, le temps me semble plus long. Il n'y a plus cet espoir d'une libération imminente que nous nourrissions à chaque nouveau message codé que nous parvenions à capter sans pour autant le déchiffrer. On tente désespérément d'avoir des informations par les nouvelles arrivantes. À Paris, il semblerait que l'on attende les Américains pour libérer la France mais ici, au fin fond de la Pologne, qui viendra nous chercher ? On espérait les Russes mais les jours passent et toujours rien en vue.

63

Rudolf Höss fut rappelé à Auschwitz le 8 mai 1944. Nommé *SS-Standortälteste*, il fit son retour avec pour principale mission l'extermination des Juifs hongrois. Devant l'ampleur de la tâche, la direction SS semblait avoir oublié ses écarts de conduite et l'ancien commandant était visiblement ravi de retrouver « son » camp et sa famille. Trois jours plus tard, Arthur Liebehenschel quittait définitivement Auschwitz, aussitôt remplacé par Richard Baer placé sous les ordres de Höss, désigné commandant de toute la garnison. Dès le premier jour, le *SS-Standortälteste* se montra ferme et autoritaire. Himmler avait été clair et il n'était pas question de le décevoir. Doté d'un zèle digne d'un jeune premier, son retour fut fracassant. Il commença par un nettoyage des postes clefs de l'administration concentrationnaire. Au cours de sa carrière, il avait appris à se méfier de tout le monde et plusieurs personnes furent aussitôt remplacées par des connaissances éprouvées par lui-même. Ce n'est qu'une fois les nominations effectuées qu'il dévoila son plan d'action. La nouvelle équipe formée, ainsi que la plupart des médecins, Wirths, Mengele, Clauberg et Meyer entre autres, furent convoqués à ce qu'il appela une réunion de crise durant laquelle il ne mâcha pas ses mots pour décrire le bilan désastreux de son prédécesseur.

— Nous devons augmenter les cadences. L'heure est venue de recevoir les premiers convois hongrois mais il ne faut pas oublier les autres. L'objectif, et nous nous y tiendrons, est de parvenir à 10 000 exécutions par jour. Liebehenschel est un incompétent. En à peine cinq mois, il a ruiné les efforts et l'ardeur que j'avais mis dans ce camp pour en faire l'un des plus efficaces du Reich. Heureusement, notre *SS-Reichführer* Himmler a eu la sagesse de l'éloigner et de me rappeler pour accomplir le dessein de notre grande Allemagne.

Dès le lendemain, il ordonna le prolongement de la voie ferrée principale afin de permettre aux convois d'arriver directement sur la rampe de sélection à seulement une centaine de mètres des crématoires I et II. Deux kilomètres de rails furent ainsi rajoutés par les *kommandos* de travail du camp. Il ordonna aussi la remise en état du crématoire V pour augmenter de manière significative la cadence. Mais comme tout ceci ne suffisait pas pour exterminer suffisamment rapidement ces nouveaux déportés, les bûchers à ciel ouvert réapparurent. Des fosses furent creusées par les détenus eux-mêmes. Les cadavres y étaient ensuite entreposés dans les deux sens en veillant à intercaler un peu de bois pour favoriser le bûcher. L'air devint de nouveau irrespirable, rendant la vie autour du camp extrêmement pénible. Mais Höss n'en tint pas cas. Peu importait maintenant que les habitants comprennent ce qui se pratiquait derrière les barbelés. Seules les exterminations importaient. Le *SS-Standortälteste* ne sembla pas gêné par l'odeur et la fumée émises par ces bûchers. Il reprit les longues balades à cheval qui lui avaient tant manqué. Meyer se demandait comment il pouvait apprécier ces grandes chevauchées dans une atmosphère si profondément viciée. Le psychiatre, de son côté, évitait le plus possible les activités extérieures et n'ouvrait que rarement ses fenêtres. Dans son jardin, la culture du potager fut grandement perturbée. Les fumées épaisses qui s'échappaient des bûchers bloquaient les rayons du soleil nécessaires aux légumes. Mais le plus pénible était le simple fait de respirer. Dès qu'il sortait, son corps se mettait à suffoquer. À peine le filet d'air avait-il pénétré dans les narines de Josef Meyer que le feu semblait s'emparer de ses muqueuses. Par une toux rauque et irritante sa gorge cherchait à se débarrasser des fines particules carbonisées qui pénétraient dans son organisme. Ses yeux rougis laissaient couler plus de larmes que la mort de sa femme et sa fille n'avaient su lui soutirer. Et quand, armé d'un mouchoir, il cherchait à extraire ce qui entravait l'arrivée d'air à ses poumons, c'étaient des cendres noires mêlées à des restes d'humains qui venaient souiller le tissu immaculé. C'est à cette période-là que Josef Meyer perdit toute foi en l'humanité. Il comprit que la machine s'était emballée et, même si l'on parvenait à la stopper, le mal était fait. Irréversible, inoubliable, inconcevable. Quotidiennement, des centaines de personnes passaient directement du convoi à la chambre à gaz. Parfois, on ne prenait même pas la peine de noter leurs noms sur les registres tant il était urgent de tous les tuer.

Dans son bureau, il continuait à se prêter au jeu du programme GEIST 24.

— J'ai demandé ma mutation sur le front de l'Est, annonça Rike Schwarz sans avoir pris la peine de s'asseoir.

Le psychiatre ne répondit pas. Il tira une cigarette de sa poche et après l'avoir méticuleusement tapotée sur son bureau, demanda d'un geste de la main du feu au caporal-chef. Il aspira une profonde bouffée et, toujours sans un regard pour son interlocuteur, s'approcha de la fenêtre.

— Je ne l'ouvre plus, dit-il enfin.

— Pardon ?

— La fenêtre. Je la laisse fermée. L'odeur. Ça ne vous dérange pas ?

— Si, bien sûr, balbutia Schwarz quelque peu interloqué.

— Donc si j'ai bien compris, vous voulez nous quitter, reprit Meyer.

Le caporal-chef acquiesça d'un signe de tête, tandis que le psychiatre relisait les notes prises lors de leurs précédents entretiens.

— Vous avez demandé le front de l'Est, mais n'est-ce pas de là justement que vous nous avez été envoyé ?

— Oui, j'avais été atteint par un éclat d'obus, à la suite de quoi ils avaient jugé bon de m'éloigner de la zone de combat.

— Et vous pensez qu'ils accepteront que vous y retourniez maintenant ?

— À part quelques cicatrices, je ne suis plus blessé, et puis j'ai cru comprendre qu'ils manquent d'hommes là-bas.

Le médecin se pencha à nouveau sur ses notes.

— Racontez-moi. Que s'est-il passé depuis notre dernier rendez-vous ? Ça fait des semaines que vous n'êtes pas venu.

— J'étais en prison.

— En prison ! Et pour quelle raison ?

Le jeune homme baissa les yeux, honteux comme un enfant ayant chapardé des bonbons.

— Homosexualité, murmura-t-il enfin.

Puis, pris d'une soudaine vigueur, il releva la tête et ajouta :

— Mais je n'ai pas profité de lui, vous savez.

— Personne n'a dit ça, Rike. Personne.

— Nous nous aimions, laissa-t-il échapper alors qu'une larme perlait au coin de ses yeux.

Meyer le laissa s'exprimer sur sa relation et les raisons qui le poussaient à demander sa mutation. Mutation qui, comme tout le monde savait, l'entraînerait vers une mort presque certaine. Peu de soldats revenaient du front de l'Est depuis quelque temps, et ceux-là étaient bien souvent très amochés.

— J'ai été attiré par les hommes dès mon adolescence mais avant la guerre, j'ai toujours lutté contre. J'ai même eu une petite amie. Dagmar, elle s'appelait, mais ça n'a pas vraiment marché. Avec Arié, ça a tout de suite été une évidence. Il venait souvent au canada. Il faisait partie du *kommando* chargé d'acheminer vers le bureau d'expédition les objets destinés à la *Reichsbank*. À chaque fois, nos regards se croisaient et en disaient long sur nos sentiments. Ensuite les choses se sont faites très vite. Nous nous retrouvions dans la salle où Schüller a été tué. Personne n'y montait, nous étions tranquilles. Parfois, nous évoquions la fin de la guerre et l'idée de nous revoir dans d'autres circonstances. Mais on a fini par nous surprendre. J'ai directement été conduit en prison. On m'a fait comprendre que j'avais commis un acte de trahison extrêmement grave. L'acte homosexuel par lui-même est un crime, vous savez. Et avec un juif ! J'ai écopé d'une double peine. Arié, lui, a été conduit à la chambre à gaz et brûlé dans la journée. Quant à moi, au bout de quelques semaines, on m'a proposé la castration. En l'acceptant, j'ai retrouvé ma liberté. Mais comment vivre maintenant ? J'ai décidé d'aller sur le front pour ne pas revenir.

Josef Meyer ne sut que répondre. Lui aussi, s'il le pouvait, demanderait sa mutation au front. Il ne supportait plus cette guerre et les horreurs auxquelles il assistait impuissant chaque jour. Le soir, il rentrait chez lui de plus en plus tard avec à chaque fois un peu plus d'alcool dans le sang. Il ne pouvait plus regarder Irena dans les yeux tant il se sentait coupable d'être Allemand. Pourtant il l'aimait. Pour sa force, son calme, sa beauté, sa présence rassurante. Mais ça ne suffisait pas à lui maintenir la tête hors de l'eau. Il sombrait.

Dès que le caporal-chef eut quitté le bureau, Zelmann se leva rouge de colère.

— Pourquoi n'essayez-vous pas de le convaincre de rester ? vociféra-t-il.

— Peut-être parce qu'à sa place, je ferais la même chose, répondit Meyer.

— Vous baissez les bras, c'est ça ?

— Et vous devriez faire de même, Zelmann. La partie est perdue. On extermine un peu plus de monde chaque jour, vous savez. Il n'y aura bientôt plus aucun Juif sur cette terre. Hitler est un fou mais il va réussir.

— Vous devriez avoir honte de parler ainsi ! C'est au contraire maintenant que nous avons besoin de gens comme vous ou Schwarz ! Les Russes avancent à l'Est. Bientôt la guerre sera finie et nous serons libérés. Mais en attendant, nous devons plus que jamais résister !

— Que voulez-vous que je fasse, Zelmann ? Que je détruise les chambres à gaz ?

— Aidez-nous à faire évader les détenus. Aidez-nous, *Herr Doktor*, nous avons besoin de vous.

64

15 mai 1944

Ça fait un an aujourd'hui qu'ils nous ont arrêtés. Il y a tout juste une année, nous étions une famille. J'avais des parents, des amis. J'étais encore un être humain. Je dois être une des rares à survivre aussi longtemps ici. On meurt généralement beaucoup plus vite. Il faut croire qu'il me reste une mission à accomplir sur cette terre. J'espère que c'est celle de te retrouver, ma fille chérie. Un an que je ne t'ai plus serrée dans mes bras. Je ne sais même pas si je te reconnaîtrai. Tu as dû tellement grandir. Par chance, j'ai toujours avec moi cette jolie photo de notre famille. J'espère te la montrer un jour. Unique vestige de notre famille. Je sais qu'il nous faudra du temps à l'une et à l'autre. L'année que nous venons de vivre laissera des traces indélébiles dans chacune de nos vies. Je ne suis plus la femme que j'étais jadis. Je ne suis qu'un tas d'os grisâtre qui se déplace en boitant. Mais j'apprendrai à redevenir humaine, et peut-être même qu'un jour, je serai à nouveau une femme. Prends soin de toi, ma fille. Prends soin de toi.

30 juin 1944

Lina et Renée sont arrivées hier par le convoi 76 de Drancy. Elles sont jeunes, treize et quatorze ans, et me font penser à Esther. Elles ont certainement menti sur leur âge pour échapper à la cheminée. Elles ne semblent pas inquiètes même si elles ne comprennent pas pourquoi on les a déportées alors que les Américains ont débarqué en France depuis presque un mois. La population pensait que dès qu'ils seraient là, on signerait la paix mais ce n'est pas encore fini. À l'*Union Werke*, on continue notre travail avec une sorte de fébrilité. On ne sait plus quoi penser, ni s'il faut encore espérer. La nouvelle du débarquement en France ne nous a pas redonné espoir, bien au contraire. Nous aussi nous imaginions qu'avec l'arrivée des Américains tout s'arrangerait et qu'ils feraient cesser les déportations. Ce n'est visiblement pas le cas. Nous sommes encore là, les exterminations continuent plus que jamais et les conditions sont plus difficiles chaque jour. Pour couronner le tout, des convois arrivent toujours de Paris. Le monde semble nous avoir oubliés. Si nous voulons nous en sortir, nous ne devons compter que sur nous-mêmes. Mais en aurai-je la force ? Courir, il faut que je puisse courir à nouveau. Si j'y arrive, je tente l'évasion. Comme Esther. C'est elle qui avait raison.

65

Le caporal-chef Rike Schwarz quitta Auschwitz le 18 juin 1944 pour rejoindre les lignes de la Wehrmacht. Quatre jours plus tard, les Russes lançaient une gigantesque offensive visant à libérer la Biélorussie : l'opération Bagration. Face à des hommes trois fois plus nombreux et à un nombre incalculable de chars, l'armée allemande fut décimée. Rike Schwarz livrait là sa première bataille sur le front de l'Est. Il y perdit la vie seulement quelques minutes après le début de l'offensive.

Quelques jours plus tard, Josef Meyer accueillit la nouvelle avec résignation. Zelmann Steinberg, quant à lui, était loin de l'être. Il revint à la charge. Il avait besoin du psychiatre pour faire évader quelques membres de la direction du *Kampfgruppe* Auschwitz.

— Vous savez que Höss risque de rétablir la peine de mort pour les évadés, protesta Meyer.

— C'est précisément pour cela qu'il ne faut pas traîner. Nous devons profiter de sa suppression instaurée par Liebehenschel pour faire sortir quelques-uns de nos membres.

— En supposant que j'accepte de vous aider, que puis-je faire pour vous faciliter la tâche ?

— Nous devons tout d'abord convenir d'un point de rendez-vous avec nos partisans extérieurs.

— Très bien.

— Nous avons appris que pour lutter contre le paludisme, le docteur Wirths avait ordonné de répandre de l'insecticide dans tous les plans d'eau environnant.

Meyer acquiesça en s'allumant une cigarette.

— Selon nos sources, la mesure s'est avérée inefficace.

— C'est exact, mais je ne vois pas où vous voulez en venir.

— Allez trouver Wirths et convainquez-le que ce sont les SS chargés de l'épandage qui ont mal fait leur boulot. Suggérez-lui ensuite d'envoyer deux de mes comparses pour renouveler l'opération.

— Comment voulez-vous que je fasse une chose pareille ? Si vos deux amis s'évadent à ce moment-là, Wirths me dénoncera sur-le-champ. C'est beaucoup trop risqué.

— Vous n'y êtes pas, *Doktor*. L'évasion n'aura pas lieu à ce moment-là. Cette sortie permettra à mes amis d'obtenir une carte des plans d'eau et marécages de la région ainsi que de repérer le meilleur chemin pour y parvenir. Dans un deuxième temps, il faudra que vous trouviez un moyen de les conduire en dehors du périmètre de sécurité afin qu'ils puissent s'échapper sans attirer l'attention.

Meyer afficha une légère moue et après avoir soigneusement écrasé son mégot dans le cendrier déjà plein à craquer de son bureau, adressa un discret sourire à son secrétaire.

— Ça n'a pas l'air trop compliqué, en effet.

Soulagé, Zelmann se leva et comme pour sceller le pacte, tendit sa main au psychiatre.

— Vous êtes un homme bien, *Herr Doktor*.

— Je n'ai pas encore dit oui, protesta mollement Meyer.

Zelmann lui fit un clin d'œil avant de retrouver sa place derrière la machine à écrire où il reprit la frappe des rapports rédigés à la main.

— Ah j'oubliais ! s'exclama-t-il en se relevant brusquement. Nous avons besoin d'un laissez-passer et d'un uniforme.

— Pour le laissez-passer, il n'y a pas de problème. Pour l'uniforme, en revanche, c'est plus compliqué. Je ferai mon possible mais je ne promets rien.

66

6 juillet 1944

Les cris, les hurlements, l'odeur. Je n'en peux plus. J'ai entendu dire que sur les sept mille déportés arrivés ce matin, seuls six cents seraient encore en vie. Tout s'accélère, on dirait. Je m'accroche à la vie comme je peux. Je veux survivre et témoigner. Dire au monde ce qu'on nous a fait. La fumée s'échappe sans arrêt des cheminées. Ils brûlent même des corps dans des fosses. L'air est irrespirable. Presque tous les nouveaux arrivants sont gazés. Pourtant, d'après les informations qu'on arrive à glaner de l'extérieur, les Russes libèrent les pays les uns après les autres. Il paraît qu'ils ont repoussé les Allemands hors de Bulgarie et de Hongrie. J'espère qu'ils arriveront bientôt ici. À moins que ce ne soient les Américains qui viennent nous sauver. Ma jambe n'évolue pas beaucoup. Peut-être faut-il que je me résigne à ne plus jamais courir. Je me suis rapprochée du comité de résistance du camp pour m'évader mais j'ai bien compris que je ne serai pas dans les prochaines.

12 juillet 1944

J'ai faim. Quand je repense au morceau de chocolat que j'ai mangé au canada, je me dis que j'ai été bien sotte de ne pas l'avoir savouré plus que ça. Maintenant, un simple trognon de pomme ferait mon bonheur. Hier, je suis passée au Sauna. Ils m'ont rasé les quelques cheveux qui commençaient à réapparaître sur mon crâne. Malgré tout ce que j'ai subi ici, ce moment reste une grande humiliation. Allez savoir pourquoi. Ça me rappelle sûrement que je ne suis plus Sarah Lindbergh, la jeune et jolie jeune femme d'Isaac, mais A-71935. Un matricule parmi tant d'autres dans ce terrible camp.

24 juillet 1944

Le camp est bombardé. Nous reprenons tous espoir. À chaque instant, nous risquons d'être touchés mais nous n'avons pas peur. Ils sont là. Depuis le temps qu'on les attendait, ils sont enfin là, avec leurs avions et leurs armes ! Ces attaques génèrent une grande pagaille. C'est la panique générale. Certains parviennent à garder leur calme et profitent de l'agitation pour s'*organiser* quelque chose à manger du côté des cuisines. C'est la pendaison assurée s'ils se font prendre. Pour ma part, je tente de me protéger sous un abri en tôle avec Olga et Andrée, mes nouvelles amies de l'*Union Werke*. Dès que l'alerte est passée, nous devons retourner travailler. Là, nous discutons de la fin de la guerre que nous sentons arriver.

31 juillet 1944

J'ai changé de block. Je suis au numéro 26 maintenant. Coup de chance, je me retrouve avec Olga. Andrée est dans celui d'à côté, si bien que le soir on parvient à se retrouver pour discuter des événements du jour. La plaie de ma jambe s'est rouverte hier. Dans la panique générale de l'attaque aérienne, je me suis rentré un fil de fer barbelé à l'intérieur. Résultat : ça recommence à suppurer. Mais pas question d'aller à l'infirmerie. Seuls quelques malades parviennent à échapper aux sélections en ce moment. À l'*Union Werke*, il y a paraît-il une boîte à pharmacie réservée aux Allemands. Demain, j'irai voir. Peut-être que j'arriverai à me faire soigner ma jambe.

67

Grâce au dynamisme et à la force de persuasion de son secrétaire, Josef Meyer avait su se ressaisir. Il s'était démené pour parvenir à obtenir ce que Zelmann lui avait demandé et le comité de résistance put mettre sur pied l'évasion de cinq personnes dont trois éminents membres du *Kampfgruppe* Auschwitz. Quatre des fugitifs prirent place dans des caisses supposées transporter du linge sale, alors que le cinquième, vêtu de l'uniforme nazi et aidé par un SS complice, les chargeait sur un camion.

Quelques minutes auparavant, les partisans de l'extérieur avaient intercepté le véhicule avant son arrivée au camp. Le chauffeur et son compagnon avaient été tués sans sommation d'un coup de fusil dans la tête et les compagnons de résistance avaient échangé leurs vêtements pour prendre place à bord du camion. Il ne leur restait plus qu'à se rendre au camp pour prendre possession de leur chargement. L'évasion se déroula sans obstacle et Josef Meyer s'en félicita. Il remercia Zelmann de lui avoir redonné l'envie de se battre. De retour dans sa villa ce soir-là, il tenta de convaincre Irena de s'enfuir lors de la prochaine expédition. Ce n'était pas qu'il voulait la voir partir, mais il espérait la sauver. Elle refusa sans même avoir pris la peine d'y réfléchir. Elle se sentait en sécurité dans la villa du médecin et avait espoir en une fin prochaine de la guerre. Elle savait que l'Allemagne était à genou et que ce n'était plus qu'une question de temps. Et puis, même si elle refusait de l'admettre, elle aimait cet homme qui avait si bien su la protéger. Ce jour-là Meyer comprit les sentiments que lui vouait la jeune femme et fut profondément touché par sa décision. Ému comme il ne l'avait pas été depuis longtemps, il ne put refréner ses ardeurs. Dans un élan de tendresse, il la saisit par la taille et l'attira contre lui. Elle ne résista pas mais quand son visage fut à seulement quelques centimètres du sien, il marqua un temps d'arrêt comme si une petite voix lui soufflait de ne pas aller plus loin. Irena le regarda alors avec intensité et approcha ses lèvres des siennes. Ils s'embrassèrent tendrement. Ce baiser si longtemps évité semblait ne jamais vouloir s'arrêter. Les deux êtres étaient comme aimantés. Pendant de longs mois, ils avaient vécu côte à côte cherchant à refouler une attirance qu'ils jugeaient inappropriée et, en l'espace d'un instant, ce long baiser fit sauter toutes les barrières. Meyer souleva le corps de la jeune femme et la mena jusqu'au premier étage. Il ôta sa chemise puis, délicatement la déshabilla. Les yeux fermés, elle se laissa faire. Sa respiration s'intensifiait à mesure qu'elle sentait les mains de Meyer parcourir son corps. Le souffle court, les deux amants firent l'amour avec douceur et tendresse. Ils passèrent la nuit à se toucher, s'embrasser, se regarder. De temps à autre, ils s'endormaient quelques instants puis, dès qu'ils ouvraient les yeux, leurs deux corps s'attiraient à nouveau.

Au petit matin, dans un silence gêné, ils partagèrent un café accompagné de quelques tartines de pain beurré puis Meyer partit reprendre ses activités quotidiennes. Ni l'un ni l'autre n'évoqua la nuit qu'ils venaient de passer.

68

9 août 1944

Ils ont tué tous les Tziganes. Ils avaient un camp à eux ici, où on les regroupait. Subitement, on ne sait pas pourquoi, les Allemands y sont allés et les ont tous exécutés. Au milieu de la nuit, des cris semblant venir d'outre-tombe ont déchiré les ténèbres. Elles ont raison les filles de l'*Union Werke*, on est passé à la vitesse supérieure. Même les sélections ne se font plus de la même manière. Il y en a qui disent que les Russes sont en Pologne a seulement quelques kilomètres d'ici et que c'est pour ça que les Allemands accélèrent la cadence. Ils veulent tous nous tuer avant l'arrivée de l'ennemi.

Pour ma jambe, Olga a réussi à me dégoter de quoi faire un léger bandage. J'ai mal mais je tiens le choc. Il faut éviter le *Revier* coûte que coûte, sans quoi c'est la cheminée assurée.

11 août 1944

Un bruit courait depuis quelque temps déjà et personne ne semblait trop y croire. Pourtant, des hommes du *Sonderkommando* ont pris contact avec nous. Ils envisagent un soulèvement et ont besoin de notre aide. Pour fabriquer des explosifs, ils nous ont demandé de leur fournir de la poudre. Pour Olga, Andrée et moi, rien de plus facile !

Il y a des filles qui ont refusé mais nous, on a accepté. Qu'avons-nous à perdre ? On parvient à rapporter au block un peu de poudre à canon chaque soir que nous conservons ensuite dans des petites bouteilles. Dès que nous en aurons suffisamment, nous les ferons passer au *Sonderkommando*. Prendre part à cette révolte m'a mis du baume au cœur. Je vais survivre, je le sais et je retrouverai, ma petite fille.

69

Au fil des jours, de vrais liens amicaux s'étaient tissés entre Josef Meyer et Zelmann Steinberg. La méfiance réciproque du début avait lentement disparu, laissant place à des sentiments tels que confiance, considération et entraide. Le premier devenait lentement l'homme qu'il avait toujours souhaité être grâce au dynamisme et à la force de caractère du second qu'il aidait autant qu'il le pouvait. Les informations sur l'avancement de la guerre apportées par le psychiatre permettaient aux résistants du camp de mieux anticiper sur les actions à mener.

C'est par l'intermédiaire de Meyer que le *Kampfgruppe* prit connaissance de la liquidation du camp de Majdanek à seulement quelques centaines de kilomètres d'Auschwitz. À l'annonce de cette nouvelle, Zelmann, généralement calme et réfléchi, sembla pris de panique. Il voulut organiser une action afin que les choses ne prennent pas la même tournure à Auschwitz. Il s'arrangea pour faire placer dans chaque *kommando* stratégique (centrale électrique, armurerie, téléphone) un membre actif de son équipe. D'autre part, il planifia l'évasion de plusieurs organisateurs du *Kampfgruppe* supposés rejoindre les partisans de la région afin de pouvoir coordonner l'aide aux détenus le moment venu. Cependant, la veille du jour fixé, le plan tomba à l'eau. Les partisans avaient été attaqués rendant impossible le scénario imaginé par Zelmann.

Le Polonais se remit au travail pour mettre au point une nouvelle évasion. Face à l'urgence, le médecin proposa son aide. Les deux hommes œuvrèrent ensemble pour élaborer la meilleure stratégie possible. Durant la journée, ils échangeaient idées et points de vue analysant à chaque fois les risques et le pourcentage de chance de réussite. Le soir, alors que le Polonais retrouvait quelques membres du *Kampfgruppe* pour des réunions clandestines, Meyer rentrait chez lui où le visage d'Irena suffisait à lui mettre du baume au cœur. Il dînait seul et s'attardait ensuite au petit salon où, sous les yeux endormis de son chien, il s'autorisait cigares et cognacs.

Quand plus tard dans la nuit, il regagnait sa chambre, il trouvait presque toujours Irena allongée nue sous les draps.

C'est durant cette période que Josef Meyer s'est senti le plus en phase avec lui-même. Il savait que ça ne durerait pas et c'est probablement pour cette raison qu'il mit tout son cœur et son énergie pour vivre intensément tous ces instants.

70

29 août 1944

À chaque fois que je le peux, je sors la photographie que j'ai retrouvée dans le portefeuille d'Isaac. Je ne la montre à personne. Mon carnet non plus d'ailleurs. Même pas à Olga et Andrée. Avec Esther, ce n'était pas pareil, nous étions si proches. J'avais entièrement confiance en elle. Maintenant, ce n'est plus le cas. Le *kommando* de l'*Union Werke* n'est pas le pire que j'ai connu ici mais j'ai appris à me méfier de toutes mes camarades. Même de celles qui semblent les plus gentilles, ou celles qui avec moi préparent la poudre pour le *Sonderkommando*. Nous ne sommes plus des femmes, nous sommes devenues des bêtes féroces prêtes à tout pour un morceau de pain, un vêtement plus chaud ou une chaussure plus confortable. Nous sommes si vulnérables qu'on est prêtes à trahir nos camarades pour améliorer un tant soit peu notre condition. Et puis, ils sont forts les Allemands pour nous dresser les unes contre les autres. Alors je préfère ne pas prendre de risque avec ma photo. Je ne supporterai pas de la perdre. Je m'y accroche comme à une bouée de sauvetage. Ma photo, mon carnet. Témoignages de cette vie passée et des horreurs qui y ont mis fin. Seuls vestiges du passage sur terre de ma famille tant aimée. Hannah, je prie chaque jour pour survivre assez longtemps pour te retrouver et te raconter ton histoire.

71

— Monowitz a été bombardé, Zelmann. Cette fois, je crois que la fin est proche.

— Vous avez raison, *Doktor*. Ils sont enfin là. Le monde ne nous a pas oubliés.

— Je ne sais pas si ces bombardements sont une bonne ou une mauvaise chose, étant donné que de nombreux détenus travaillent pour l'*IG Farben*.

— C'est une bonne chose, croyez-moi. Ils cherchent probablement à détruire l'usine. Des pertes humaines seront à déplorer, c'est certain mais pensons plutôt à tous ceux qui seront sauvés grâce à leur intervention.

— Vous avez raison, je suis un éternel pessimiste.

— Songez à la fin de la guerre, *Doktor*. Irena et vous pourrez enfin vous aimer au grand jour.

— Irena ? Comment savez-vous ?

Le jeune Polonais sourit devant la gêne du psychiatre.

— Il suffit de vous écouter parler d'elle, *Herr Doktor* pour comprendre que ce n'est pas juste de la compassion. Et puis, avant de vous faire confiance, les membres du *Kampfgruppe* ont enquêté sur vous.

Josef Meyer se leva de sa chaise, stupéfait.

— Comment ça : enquêté ? lança-t-il.

— Nous ne pouvions pas prendre de risques. Quand vous avez accepté de nous aider, nous devions être absolument certains qu'il ne s'agissait pas d'une manœuvre qui aurait pu se retourner contre nous.

— Et vous êtes venus jusque dans ma villa ?

— Dariuz est des nôtres. C'est lui qui nous a renseignés à propos de votre relation avec Irena.

Le psychiatre fit quelques pas sous le coup de la nouvelle. Il fouilla fébrilement la poche de sa veste pour en tirer une cigarette qu'il alluma à la flamme tendue par Zelmann. Il en aspira quelques bouffées et, d'un air pensif, regarda s'envoler la fumée qu'il recrachait. Le tabac sembla venir à bout de sa nervosité. Il se rassit à son bureau, s'accorda de longues minutes de réflexion puis releva la tête vers son secrétaire.

— Je comprends que vous ayez eu besoin d'être rassuré sur mon dévouement à votre cause, mais quel rapport avec Irena ?

— Disons que c'était notre garantie en cas de trahison de votre part.

— Vous m'auriez dénoncé, c'est ça ?

Zelmann acquiesça.

— Et Irena ? Vous avez pensé à elle ? Ils l'auraient tuée.

— Ils l'auraient probablement emprisonnée, comme ils l'ont fait avec Eleonore Hodys[1].

— Vous savez aussi bien que moi qu'ici, la prison est synonyme de tortures auxquelles on ne survit généralement pas.

— Nous l'aurions fait évader, assura le Polonais.

Un long silence s'installa dans le bureau du psychiatre et Zelmann jugea bon de ne pas en rajouter. Il laissa le médecin encaisser la nouvelle. De son côté, Meyer se leva et se dirigea vers la fenêtre. Celle qu'il n'ouvrait plus et à

---

1. Détenue avec qui Rudolf Höss a entretenu une relation, ce qui lui valut d'être écarté du camp fin 1943. Eleonore, quant à elle, fut jetée en prison où, selon les dires, Höss lui rendit plusieurs fois visite.

travers laquelle il n'osait plus regarder. Mais à cet instant, ses yeux n'étaient pas en état de voir le spectacle qui se jouait à l'extérieur. Dans sa tête repassait le film de ses années passées au camp. Précisément les dernières. Il songea qu'il ne s'était jamais senti plus utile que depuis qu'il avait décidé d'aider son secrétaire et ses amis dans leurs actions de résistance. Les révélations de Zelmann ne l'avaient pas vraiment surpris, à vrai dire. Il se doutait bien que pour être si actif et efficace, le *Kampfgruppe* se devait d'être extrêmement prudent. Mais il était touché dans sa fierté. Vexé qu'on ait pu douter de lui au moment de sa vie où, pour la première fois, il agissait en son âme et conscience.

Il ouvrit le tiroir de son bureau et en sortit quelques photographies datant d'avant la guerre. Les visages de sa femme et sa fille lui firent mal au cœur. Plus encore que leur mort, c'était le fait de ne pas en être dévasté qu'il ne supportait pas. Il s'en voulait d'avoir pu les oublier si vite. D'être tombé amoureux d'Irena aussi facilement. Il regardait ces images et pensa à ce temps si proche et pourtant si loin déjà. Il fuma une seconde cigarette, puis une troisième.

Ses entretiens du matin vinrent interrompre sa réflexion. Avec encore moins d'entrain que d'habitude, il reprit ses séances du GEIST 24. Il posait les questions d'usage, n'écoutant les réponses que d'une oreille distraite. Trois soldats se succédèrent dans son bureau et il mena ces rendez-vous à l'identique. De façon mécanique. Sur les coups de treize heures, son dernier entretien terminé, il se tourna vers Zelmann.

— Un délégué de la Croix-Rouge internationale a demandé à visiter le camp, déclara-t-il.

Le Polonais eut l'air surpris.

— Savez-vous si sa demande a été entendue ?

Meyer acquiesça.

— Il sera là la semaine prochaine. Prévenez vos amis. Il faudra vous arranger pour lui montrer tout ce que nous autres, Allemands, tenterons de dissimuler.

— Comptez sur nous, nous ne raterons pas l'occasion.

Le psychiatre enfila son pardessus et s'apprêtait à quitter son bureau quand il sentit la main de son secrétaire sur son épaule.

— Merci, *Herr* Meyer. Merci pour tout ce que vous avez fait.

Le médecin se contenta d'adresser un sourire à son secrétaire. « *Herr* Meyer », c'était la première fois que Zelmann l'appelait ainsi. Sa façon de lui témoigner son respect, probablement.

En rentrant chez lui, le médecin ne joua pas le jeu habituel. S'ils dormaient ensemble toutes les nuits, Josef Meyer et Irena n'avaient jusque-là rien changé dans leur comportement. Convaincus tous les deux que personne n'était au courant de leur relation, ils s'appliquaient à se parler peu et à éviter à leurs regards de se croiser. Mais après sa conversation avec Zelmann, il n'y avait plus aucune raison de se cacher. Il alla directement trouver Irena dans la cuisine. Elle avait ses cheveux relevés dégageant sa nuque sur laquelle il déposa un baiser langoureux. Il la souleva et la mena directement dans sa chambre. Plus tard dans la nuit, quand leurs deux corps se séparèrent enfin, les deux amants discutèrent de leur relation. Pour la première fois, ils prononcèrent ce mot jusqu'alors tabou : amour.

72

15 septembre 1944

Depuis deux jours le camp est bombardé. Enfin ce n'est pas vraiment ici, c'est à Birkenau un peu plus loin. Il y a eu des morts chez les boches mais aussi chez les détenus. Encore une fois, je l'ai échappé belle. L'Allemand Schwarz, celui qui m'a fait partir du canada pour que je ne puisse pas être inquiétée à propos de SS Schüller, avait d'abord prévu de m'envoyer à l'*IG Farben* à Monowitz (l'endroit précis qui a été touché hier après-midi) avant de m'orienter vers l'*Union Werke* moins pénible, avait-il dit. C'est le genre de chose qui fait froid dans le dos mais en même temps, je suis de plus en plus convaincue que je vais résister jusqu'au bout. J'aurai dû mourir mille fois depuis mon arrestation et pourtant, je suis encore là. Je suis très faible, fragile, ma jambe purulente diffuse une odeur atroce mais je suis vivante. Oh, je n'ai plus rien d'humain. Ni dans mon apparence ni dans mon comportement. Dans les conditions qui sont ici les nôtres, on perd très vite toute notion d'humanité. Nous sommes des bêtes tatouées sur l'avant-bras, infestées de puces et guidées par un sordide instinct de survie qui nous pousse à agir sans retenue pour soulager nos estomacs. Et quand nos corps sont devenus trop faibles pour lutter, nous sombrons dans cet état si redouté de musulman, la cheminée n'est alors plus très loin. Ici depuis plus d'un an, je fais partie des plus anciennes détenues. Jamais je n'aurai dû survivre si longtemps.

73

À force de travail et d'acharnement, Josef Meyer aida Zelmann à mettre sur pied son nouveau plan d'évasion. Cette fois, l'aide de deux SS était nécessaire. Meyer pensait que l'idée était trop risquée mais Zelmann ne trouvant pas d'autre alternative s'était rangé à l'avis général du *Kampfgruppe*. Craignant de ne pas être en place quand viendrait la liquidation du camp, il était pressé de passer à l'action. Les deux SS choisis par Alberto, un Italien pilier du groupement de résistance, étaient censés conduire les cinq fugitifs dans un camion chargé de caisses à sept kilomètres du camp où des partisans viendraient les prendre. Le jour venu, tout sembla se dérouler comme prévu jusqu'à l'intervention des soldats allemands au point de rendez-vous avec les partisans. Un des SS conduisant le camion s'avéra être un fourbe. Les partisans furent attaqués et les détenus arrêtés. Promis à une mort certaine, tous les cinq avalèrent une capsule de cyanure afin d'éviter d'inutiles souffrances.

— Il y avait un traître, c'est ça ?

Zelmann acquiesça.

— Hum… Je savais qu'il ne fallait pas faire appel aux SS ! lâcha Meyer en colère.

— Je n'étais pas pour non plus, mais nous n'avions plus beaucoup de temps. Il fallait tenter quelque chose.

— Si seulement j'avais encore des gars comme Schwarz sous la main. Malheureusement, il n'y en a pas eu beaucoup comme lui.

— Il est sur le front de l'Est, c'est ça ?

— Mort. Dès la première bataille ! lança le médecin avant de se plonger dans ses pensées.

Il ouvrit le placard derrière son bureau d'où il sortit une bouteille cognac. Il ôta le bouchon et porta le goulot à ses lèvres. Il en avala une bonne rasade avant de tendre la bouteille à son secrétaire.

— Ça fait du bien. Allez-y, vous en avez bien besoin vous aussi, Zelmann.

Le jeune Polonais refusa d'un signe de tête.

— Non, je préfère rester lucide. Nous avons encore beaucoup à faire. Ils risquent de liquider le camp d'un jour à l'autre et je veux pouvoir éviter un nouveau carnage.

— Vous avez raison. Les choses ont l'air de se précipiter. Les Russes avancent à l'Est de plus en plus vite. Himmler est très inquiet.

— Où sont-ils exactement ?

— Après la Biélorussie, c'est Bucarest qui est tombée et la Roumanie vient de déclarer la guerre au Reich.

— Je crains que votre pays ne se trouve bientôt seul contre tous, hasarda le Polonais.

— Vous ne pensez pas si bien dire. La Bulgarie est vaincue, elle aussi.

— Pour Varsovie, je suis au courant. Notre réseau nous a informés de l'insurrection des résistants, mais les choses ne se sont pas passées exactement comme ils l'avaient prévu.

— Qu'espéraient-ils ? Que le Führer accepte leur soulèvement sans réagir ?

— Non, bien sûr, mais ils comptaient sur l'aide de l'Armée rouge qui n'a pas bronché. Personne n'a bougé d'ailleurs.

— Ils ont quand même réussi à nous affaiblir.

— À quel prix ? Des milliers de civils sont morts et votre armée reprend le dessus.

Le secrétaire marqua un temps d'arrêt, puis reprit.

— La lutte est loin d'être finie mais nous tiendrons, nous n'avons pas le choix.

— Je vous admire, Zelmann. Rien ne semble pouvoir entamer votre détermination. J'aurais aimé avoir votre courage, votre énergie. Vous êtes quelqu'un de bien, Zelmann.

— Vous aussi, *Doktor*, vous êtes quelqu'un de bien. Nous ne sommes pas dans le même camp tous les deux mais croyez-moi, s'il y avait eu plus d'Allemands comme vous, *Herr* Meyer, tout ceci ne serait peut-être pas arrivé.

74

1er octobre 1944

Ça y est. On a réussi à amasser suffisamment de poudre pour l'action du *Sonderkommando*. Ce matin, avec Andrée et Olga mes deux camarades de la salle de stockage, nous nous sommes arrangées pour faire passer les bouteilles aux filles de la table de montage qui se chargeront de les leur transmettre. Je ne sais pas quand ils ont prévu d'agir mais ça nous a redonné espoir. Avec de la chance, ils parviendront à nous libérer. Qui sait ? La fin du calvaire est peut-être bientôt là.

7 octobre 1944

Ils sont passés à l'action ce matin. Armés de pics et de pierres, le *Sonderkommando* du crématorium 4 a attaqué les gardes les plus proches. Pris par surprise, deux SS ont été tués. Les insurgés s'en sont ensuite pris au crématoire. Un pan est tombé, le rendant inutilisable. Puis un corps à corps s'est engagé entre SS et détenus durant lequel quelques membres de la mutinerie sont parvenus à s'enfuir dans les bois. Jusque-là tout s'est passé comme ils l'avaient imaginé. Mais ensuite les choses se sont corsées. Le *Sonderkommando* espérait sans doute que tous les détenus se soulèvent et les rejoignent dans ce mouvement de révolte. Malheureusement, la majorité étant bien trop faible pour ce genre d'action, il n'en fut rien. Seul le *Sonderkommando* du crématoire II se révolta à son tour et poussa un SS vivant dans le four. Une bataille sanglante s'ensuivit, causant la mort de plus de deux cent cinquante membres des *Sonderkommandos*. En un rien de temps, les soldats allemands lancés à la poursuite des rebelles les avaient encerclés pour mieux les fusiller. Les rares qui avaient réussi à leur échapper ainsi que tous ceux soupçonnés d'avoir contribué de près ou de loin à la révolte furent gazés au crématoire d'à côté. Seule Olga, Andrée et moi sommes passées entre les mailles du filet. Tous les espoirs et les efforts de ces dernières semaines anéantis en quelques minutes. On aura quand même réussi à tuer quelques Allemands et à rendre une cheminée inutilisable mais à quoi cela va-t-il servir ?

75

— Les Russes avancent de plus en plus rapidement à l'Est. La situation devient inquiétante.

— J'ai parlé à Goebbels, il y a quelques jours, et il semble rester confiant.

— Avec le Führer lui-même, il doit sans doute être le seul, ragea Höss.

Après une balade à cheval destinée à le détendre, le commandant avait fait venir Meyer dans son bureau. Ce n'était pas habituel. La dernière fois qu'il l'avait convoqué, c'était pour s'assurer de son soutien et sa loyauté avant son départ d'Auschwitz à l'automne 1943.

Quand il arriva, Josef Meyer trouva Rudolf Höss très nerveux. Manifestement, ses escapades équestres ne suffisaient plus à lui assurer calme et sérénité. Il faisait les cent pas dans son bureau, son visage crispé tourné vers ses bottes.

— J'ai reçu l'ordre de commencer à brûler les archives, déclara-t-il sans lever ses yeux du sol.

— Quelles archives ? De quoi parlez-vous ?

— Il y a déjà quelques semaines, Himmler m'avait demandé de me préparer à cette éventualité : « Si l'Armée rouge continue sa progression, il faudra envisager de liquider le camp. »

— Liquider le camp ! Ça veut dire brûler les archives, c'est ça ?

— Dans un premier temps, oui. Nous devons détruire les registres contenant les noms de tous les détenus entrés ici.

— Après avoir brûlé leurs corps, nous devons effacer toute trace de leur passage sur terre, murmura Meyer.

Höss s'arrêta un instant de tourner en rond dans son bureau, et leva les yeux vers le psychiatre.

— Oui, c'est bien ça. Je suis en train de vous dire que la situation est critique, qu'il faut absolument éviter que le monde extérieur apprenne ce qu'il s'est passé ici et vous me faites part de vos états d'âme, *Herr Dok-tor* ! hurla Höss.

— Si je peux me permettre, ce n'est pas de mes états d'âme dont il est question. Comme je vous l'ai dit, je me suis entretenu avec Goebbels, la semaine dernière, et il ne semblait pas vouloir aller dans ce sens.

— Qu'il aille au diable ! C'est sous les ordres d'Himmler que je sers le Reich, pas sous les siens ! Et vous, Meyer, je vous rappelle que vous êtes sous les miens ! Alors je vous conseille de faire disparaître tous vos dossiers ! Je ne veux pas de trace du GEIST 24 non plus ! Nous devons avoir l'air d'un simple camp de prisonniers et détruire tout ce qui pourrait laisser présager autre chose ! Compris ?

— À vos ordres *SS-Standortälteste*.

— *Heil Hitler* !

— *Heil Hitler* !

76

11 octobre 1944

Cette fois je n'ai pas pu passer au travers, le chef du camp a voulu savoir qui avait fourni la poudre. Ils n'ont pas eu de mal à nous retrouver. Dès le lendemain de l'attaque du crématoire, ils ont fait irruption à l'*Union Werke*. À peine entrés dans l'usine, ils se sont dirigés vers la pièce de stockage et Olga, Andrée et moi avons été emmenées. J'ai l'impression de retourner à la case départ. Je suis dans le block disciplinaire, le 11. Juste à côté du numéro 10 où le docteur Clauberg m'a infligé tant de sévices pendant que ce monstre de Mengele tuait mes enfants. Le supplice recommence.

15 octobre 1944

Ils nous torturent un peu plus chaque jour. Pourquoi ne nous tuent-ils pas de suite ? Ils attendent que nous leur livrions d'autres complices de la révolte du 7 octobre. Ils veulent des noms. Enfin des matricules plutôt. Mais les seuls noms que nous avions à donner sont ceux d'hommes ou de femmes déjà morts. Fusillés juste après l'attaque. Ils ne nous croient pas. Ils pensent qu'il y avait d'autres complices dans l'usine. Les filles de la table de montage ayant elles aussi été arrêtées, il n'y a personne d'autre à ma connaissance mais ils sont convaincus du contraire.

Ils continueront à nous torturer jusqu'à ce que nous succombions à leurs sévices.

Il y a peu de temps mon cœur se nourrissait encore d'espoir, mais à moins d'un miracle imminent, je sais cette fois que je n'en réchapperai pas. Ces mots, mon cher carnet, seront peut-être mes derniers puisque je vais t'enterrer. S'ils te trouvent sur moi, ils te brûleront en même temps que mon corps alors que sous terre tu pourras subsister encore de longues années. Au milieu de ces pages de souffrance, je glisserai la photo de ma famille. Cette image du plus grand bonheur qu'il m'a été donné de vivre sur cette terre. Je veux que ce journal, grâce à qui j'ai tenu jusqu'à aujourd'hui, puisse témoigner de l'horreur que l'on nous a infligée. Et peut-être qu'un jour, Hannah, si par miracle tu vis toujours, tu auras, par je ne sais quel autre miracle, la chance de trouver cette photo. La photo des tiens. Ceux qu'Auschwitz t'aura pris.

Mon cher carnet, j'attendrai quelques jours encore avant de me débarrasser de toi, mais dès que je sentirai la fin arriver, je te mettrai dans la terre en espérant qu'un jour, après la fin de cette maudite guerre, quelqu'un tombera sur toi par hasard. Et je compte sur cette personne pour le faire connaître au monde pour que plus jamais des hommes, des femmes et des enfants ne vivent cet enfer. Ce jour-là, et ce jour-là seulement, mon âme sera en paix.

77

— Höss a donné l'ordre de dynamiter les trois crématoires restant, annonça Josef Meyer à son secrétaire.

— Les salauds, ils ne s'en tireront pas comme ça !

— Il a aussi demandé à ce que toutes les archives soient
détruites.

— Qu'en est-il de vos travaux ?

— Il m'a ordonné de faire la même chose mais je n'en
ferai rien. Ces dossiers sont à vous, Zelmann. Faites-en
ce que bon vous semblera.

Le Polonais regarda le psychiatre avec amitié et
compassion.

— Les Russes ne sont plus très loin, *Doktor*. Pourquoi
ne partez-vous pas ?

— Partir ? Mais pour aller où ?

— Je ne sais pas, sauvez votre peau. Détruisez vos
dossiers, nous saurons nous débrouiller sans eux, et fuyez
tant qu'il est encore temps.

— Non, Zelmann, cette fois je ne me déroberai pas.
Toute ma vie j'ai été lâche, j'ai agi contre mes convic-
tions pour sauver ma peau comme vous dites, mais c'est
terminé. Je vais assumer les conséquences de mes actes,
quelles qu'elles soient.

— Ne soyez pas idiot. Les Russes ne feront pas de quartier, vous serez tué, alors que les camarades résistants peuvent vous aider, si vous voulez.

— Et je serai traqué ! Non merci. Peu m'importe de mourir, vous savez. Je n'ai rien qui me raccroche à la vie.

— Et Irena ?

— Elle mérite mieux que moi. Elle est jeune et je suis certain qu'elle sera bien plus heureuse sans un vieil Allemand aigri accroché à elle. Je pourrais être son père, vous savez ? Et le sien justement a été tué par mes compatriotes.

Le Polonais ne trouva rien à répondre. Il s'approcha du médecin et par une brève accolade lui témoigna son respect et son amitié.

— Prenez soin de vous, *Herr* Meyer, nous n'oublierons jamais ce que vous avez fait pour nous.

78

Sournoisement, l'hiver et son froid glacial s'installèrent à Auschwitz. Parmi les détenus, le troc était plus que jamais présent. Ils auraient donné n'importe quoi pour une paire de gants ou une chaussure plus chaude ? Malgré la faim permanente, on n'hésitait pas à échanger une partie de son pain pour se prémunir contre les températures négatives. Quand l'heure de la soupe arrivait enfin, les nouveaux détenus, que l'on repérait à leurs numéros, se ruaient pour être les premiers servis. Ils ne savaient pas encore que les pommes de terre et légumes étaient dans le fond de la marmite. Ils s'apprêtaient à boire un liquide légèrement troublé par le goût de la patate qu'ils n'auraient pas la chance de croquer. De leur côté, les plus anciens savaient où se placer dans le rang pour ne pas recevoir que de l'eau dans leur gamelle. Le *lagerälteste* se réservait le fond de la marmite riche en légumes, mais ils parvenaient toutefois à récupérer quelques morceaux nourrissants.

Les dix derniers jours, ils avaient vu la cheminée fumer sans arrêt. Il fallait faire de la place pour un énorme convoi en provenance de Posen, murmurait-on dans les rangs. Par conséquent, la cloche assignant les détenus dans les blocks n'avait cessé de retentir et les sélections s'enchaînaient à une cadence vertigineuse. Les déportés voyaient leur angoisse se transformer en terreur à mesure que le rythme des exterminations s'amplifiait. Des heures durant, ils devaient défiler devant les postes de contrôle qui les comptaient et recomptaient inlassablement pendant que l'orchestre jouait sans relâche les mêmes airs. Leurs corps frêles et gris étaient ensuite contraints de se traîner à l'intérieur des blocks où, une fois nus, un SS venait les classer en deux groupes. Un à droite et un à gauche. Les détenus s'empressaient alors de repérer le plus mal en point d'entre eux pour s'assurer qu'il ne faisait pas partie de la même file : celle de la chambre à gaz.

Les attaques aériennes avaient cessé, laissant derrière elles un champ de ruines. À Monowitz, la Buna, ce vaste bâtiment en tôle abritant l'usine de caoutchouc de l'*IG Farben*, était détruite et la centrale électrique condamnée à l'arrêt.

Derrière les barbelés, l'Armée rouge approchait dangereusement. Certains disaient qu'elle n'était plus qu'à quatre-vingts kilomètres d'Auschwitz. Pourtant, chaque jour, de nouveaux détenus arrivaient d'autres camps. La plupart étaient gazés dès leur arrivée. Le spectacle offrait une vision toujours plus abominable. Les fumées opaques envahissaient l'atmosphère déjà viciée par de nouvelles maladies telles que la scarlatine ou la diphtérie. Pour braver le froid, les détenus n'hésitaient pas à s'enrouler dans les couvertures souillées récupérées dans le block des dysentériques. Partout ces silhouettes aux visages hagards se traînaient en espérant la fin de la guerre qu'ils sentaient proche. Jour et nuit l'artillerie de l'Armée rouge retentissait à des kilomètres à la ronde. Ils étaient là, ils arrivaient. Parmi les déportés, les plus optimistes recommençaient à sourire sans encore oser crier victoire. Les Allemands, de leur côté, restaient stoïques. Plus que jamais, ils conservaient leur attitude supérieure et méprisante. Seule une minorité envisageait une défaite de l'Allemagne. Ceux-là, pour la plupart, partaient pour sauver leur peau.

Meyer était toujours là. Rudolf Höss aussi.

79

Novembre 1944

Je ne sais plus exactement quel jour nous sommes. En novembre, je pense, mais je n'en suis pas certaine. Ils nous torturent toutes les trois plusieurs fois par jour. Dès le matin, ils viennent nous chercher pour d'interminables séances de sévices. Ils ont vite découvert ma plaie à la jambe et s'amusent à y déverser des produits plus brûlants les uns que les autres. Comme je ne parviens plus à marcher, ils me rouent de coups de matraques de la cellule où ils me maintiennent prisonnière jusqu'à la salle des tortures. Je suis forcée de ramper. Je me sens à bout de force. Je devrais enterrer ce carnet comme je me l'étais promis mais je ne parviens pas à m'y résoudre. Cela signifierait accepter l'idée de mourir et ce n'est pas encore le cas. Parfois, quand la douleur est insoutenable, j'en arrive à espérer que la mort m'emporte avec elle mais l'instant d'après, l'envie de vivre revient, chargée d'espoir. Encore et toujours l'espoir.

Novembre 1944

Olga, Andrée et moi partageons la même cellule. Entre deux séances de tortures, nous essayons de nous soutenir. Ils nous emmènent chacune notre tour pour tenter de nous faire parler et assouvir leur sadisme primaire. Je mentirais si je disais ne pas être soulagée quand ils jettent leur dévolu sur l'une ou l'autre de mes camarades, mais ce soulagement est toujours de courte durée. Après une attente empreinte d'angoisse et d'appréhension, mon tour arrive. Inexorablement. À la suite des séances de tortures, il nous arrive régulièrement de perdre connaissance. Le réveil est alors plus atroce et brutal encore. Je ne suis que douleurs. Douleur des coups. Douleur de faim. Douleur de soif. De l'extérieur de notre cellule, nous ne savons rien. Même si les bombardements semblent avoir cessé, le bruit des avions se fait régulièrement entendre et nous permet de garder l'espoir que quelqu'un parviendra à nous libérer avant que nous ne succombions.

80

Semaine après semaine, l'Armée rouge continuait son avancée rendant inexorable son entrée dans le camp d'Auschwitz. Les autorités se résolurent à abandonner les projets d'extension du camp que les dirigeants, espérant probablement un brusque revirement de situation, avaient tenu à poursuivre jusque-là.

Les ordres étaient clairs : effacer au maximum toutes traces de l'activité de ces dernières années. À ce titre, les membres du *Sonderkommando* furent les premiers à être exécutés. Avec grand soin, les SS fusillèrent tous les témoins oculaires des massacres et brûlèrent ensuite les listes des Juifs exterminés.

Sous l'œil attentif des nazis, certains détenus furent employés à recouvrir de terre les fosses ayant servi aux bûchers humains, tandis que d'autres étaient envoyés en renfort dans les usines d'armement du camp. Le reste des déportés devait être évacué. Les marches de la mort commencèrent alors. Dans un hiver glacial, ces hommes et femmes aux corps malades, affamés et décharnés prirent la route, parfois sans chaussures aux pieds, vers d'autres camps de concentration. Seuls quelques *kommandos* et ceux jugés trop malades restèrent à Auschwitz.

Josef Meyer demeura à son bureau. Il n'avait pourtant plus rien à y faire. Le programme GEIST 24, comme nombre d'autres, avait été abandonné. Les soldats qu'il recevait jadis avaient pour la plupart déserté. Dès les premiers jours de la liquidation du camp, Meyer avait aidé Zelmann à organiser son évasion ainsi que celles d'Irena, Dariuz et quelques autres. Avec un sentiment de devoir accompli, il attendait maintenant l'ennemi. Ses journées, il les passait assis derrière son bureau sur lequel trônaient les photos de sa femme et sa fille. Sous les yeux figés d'Angela et Lily, il fumait cigarette après cigarette, accompagnées de verres de cognac de plus en plus nombreux. Certains jours, il se mettait à sa fenêtre et regardait SS et détenus s'activer pour tenter de transformer ce centre de mise à mort en campagne accueillante. Derrière cette vitre qu'il n'avait plus ouverte depuis des semaines, l'horreur était toujours là. Les malades traînaient sur le sol leurs corps meurtris à la recherche de quelque chose à manger. Les yeux emplis de peine et de désespoir, un jeune garçon d'une quinzaine d'années soulevait des pelletées de terre plus lourdes que lui pour recouvrir les cendres de ses parents. Non loin de lui, une femme venait de pousser son dernier soupir en tentant de repousser le chien accroché à sa gorge. Punition pour sa désobéissance, probablement. « Qu'avons-nous fait ? ne cessait de se demander Josef Meyer. Qu'avons-nous fait ? » À plusieurs reprises, il fut tenté d'utiliser son arme contre lui mais à chaque fois, le visage d'Irena l'en empêchait. Il pensait à elle, à son courage, à son amour. Pour une fois dans sa vie il voulait être à la hauteur. Assumer. Il ne se déroberait pas, il se l'était juré. Il ne lui restait plus alors qu'à attendre l'arrivée des Russes. Il espérait être tué dans le premier assaut du camp. Il n'opposerait aucune résistance et attendrait que la mort le délivre enfin de sa culpabilité.

Mais les jours passaient et l'Armée rouge n'était toujours pas là. Après plusieurs semaines confiné dans son bureau, Josef Meyer décida d'entreprendre une visite du camp. Il en franchit l'entrée sans s'attarder devant la pancarte dont l'inscription « *Arbeit macht frei* » l'avait à maintes reprises poussé à la réflexion et se dirigea vers l'hôpital des détenus. Des corps inertes y côtoyaient ceux à peine plus vaillants des vivants. Le spectacle était encore plus terrible que le jour où il était venu y faire sa première sélection. Il s'en souvenait comme si c'était hier. Ni les promenades à cheval, ni les bouteilles de cognac, ni Irena ne lui avaient permis d'oublier ce jour où lui, Josef Meyer, avait envoyé des hommes et des femmes à la chambre à gaz. Le visage de la femme qui s'était jetée à ses pieds ce matin-là lui revint alors en mémoire et subitement, il réalisa que c'était celui de la détenue qui avait tué Schüller. Aucun doute possible. Comment avait-il fait pour ne pas s'en rendre compte avant ? Il avait toujours eu la sensation de connaître la femme que Schwarz avait désignée comme l'assassin du SS le plus abject qu'il avait rencontré, mais jamais il n'avait fait le rapprochement. Cette femme était-elle encore en vie aujourd'hui ?

81

Depuis un mois déjà, la neige avait envahi le paysage d'Auschwitz. Sur ordre de Rudolf Höss, les trois crématoires avaient été dynamités et les bûchers à ciel ouvert tous recouverts. L'hiver avec son froid glacial achevait lentement le travail. L'odeur se dissipait peu à peu rendant l'atmosphère plus respirable que les semaines précédentes.

— *Herr Doktor*, ma mission ici est terminée. Je pars demain pour Bergen-Belsen, annonça Rudolf Höss venu saluer le psychiatre.

— Alors c'est donc vrai ! J'avais entendu dire que vous nous laissiez tomber mais j'espérais que vous seriez là jusqu'au bout.

— Une épidémie de typhus fait rage à Bergen-Belsen et Himmler m'a ordonné d'en venir à bout.

— Eh bien, bonne chance à vous, *SS-Standortälteste*.

— Oh, je ne vous abandonne pas pour autant ! C'est moi qui vais organiser l'évacuation du camp.

— Vous comptez faire partir tous les détenus ?

— Seulement ceux capables d'entreprendre une longue marche.

— Et les autres ?

— Ils restent ici. Mais ce n'est pas de cela dont il est question. Je tenais à vous voir avant mon départ pour vous proposer de m'accompagner à Bergen-Belsen.

— Vous accompagner ? Mais pour quelle raison ?

— Vos connaissances médicales pourraient m'être utiles et puis, je ne vous conseille pas de rester ici. Les hommes de Staline approchent et je crains qu'ils ne fassent pas de quartier pour l'uniforme que vous portez.

Josef Meyer leva un sourcil, surpris par la proposition de Höss. Il fit le tour de la pièce en regardant par terre et s'arrêta face à la fenêtre. De là il pouvait voir les miradors, encore occupés pour certains, mais la vue avait beaucoup évolué ces dernières semaines. Il eut une pensée pour Zelmann et Irena. À présent il n'avait aucune idée de l'endroit où ils pouvaient être, mais espérait que leur évasion avait réussi. Il alluma une cigarette sans en proposer une à son supérieur et forma quelques ronds de fumées comme il avait l'habitude de le faire dans sa jeunesse.

— *Herr Doktor* ? hasarda Höss devant l'inhabituel mutisme du médecin.

Celui-ci se retourna et, la main sur l'épaule du *SS-Standorälteste*, déclara en le fixant droit dans les yeux :
— Je reste.

82

... 1944

Nous devons être en décembre maintenant. J'ai l'impression d'être dans cette cellule depuis tellement longtemps que je ne saurais me prononcer avec exactitude. La seule image de l'extérieur que je peux apercevoir au travers des barreaux de notre lucarne me confirme que c'est bien le plein hiver. La neige a envahi l'espace et le froid sibérien semble vouloir figer le moindre sursaut de vie. Avec mes camarades, nous résistons toujours. Nous n'avons aucune idée du sort qu'ils nous réservent mais chaque nouvelle journée est comme une petite victoire. Aurons-nous la force de tenir jusqu'à la fin de la guerre que nous sentons plus proche que jamais ? Certains jours, nous percevons une agitation inhabituelle dans le camp, et aussitôt nos cœurs s'emballent. Nous restons suspendues à la porte de notre cellule. Le cliquetis libérateur va-t-il enfin se faire entendre ? Non, rien pour l'instant. Les aboiements des chiens, les appels, les cris s'élèvent à nouveau de l'autre côté de notre lucarne et nous comprenons alors que les Russes ne sont pas encore arrivés. Qu'ils se dépêchent !

Quand ils arriveront, je serai là. Sale, affaiblie, repoussante, implorante mais vivante.

Plus que jamais je m'accroche à la vie. J'ai cessé de regarder ma précieuse photo. Voir Isaac et les garçons m'est devenu trop difficile. La simple vision de ce bonheur perdu avait tendance à m'ôter mes dernières forces. À quoi bon vivre quand tous ceux qui vous aimaient sont partis ? Alors je pense à Hannah. Tout le temps. Pour elle, il faut que je vive. Et avec elle, un jour, je parviendrai à nouveau à regarder cette magnifique photo.

83

Malgré l'avancée russe et l'espoir grandissant chez les détenus, certains Allemands du camp restaient convaincus que l'Allemagne serait victorieuse. La propagande, évidemment. Pourtant, à Berlin, des tensions se faisaient de plus en plus présentes parmi les proches d'Hitler. Seuls quelques inconditionnels continuaient à lui témoigner leur dévouement. Même Göring, jusque-là désigné comme le successeur du Führer, était de plus en plus ouvertement critiqué pour son incapacité à la tête de la *Luftwaffe*.

Josef Meyer, lui, n'avait aucun doute sur l'issue de cette guerre qu'il sentait proche. Depuis le départ de Zelmann, il s'attachait à trier les dossiers du GEIST 24 auxquels il joignait des notes personnelles susceptibles de servir les Russes. Parmi elles figurait un long paragraphe consacré à son supérieur le docteur Wirths et à ses collègues médecins. Il tenait à dénoncer leurs recherches et surtout les moyens ignobles utilisés pour y parvenir. De son côté, Mengele semblait ne pas se préoccuper de l'arrivée imminente de l'Armée rouge. Il continuait à séquestrer des jumeaux pour ses étranges expérimentations alors que d'autres, comme Carl Clauberg, pris de panique face à l'avancée russe, s'étaient vus contraints de fuir. Avec quelques-uns de ses collaborateurs, il avait quitté le camp pour Ravensbrück. Wirths continuait à assurer sa fonction de médecin-chef du camp. C'était le seul pour qui Josef Meyer conservait un peu d'estime et de compassion. Il avait pourtant participé à des expérimentations mettant en péril la vie de détenus mais, à plusieurs reprises, il s'était prononcé pour mettre un terme à certaines dérives et rendre la vie des prisonniers un peu plus supportable. Le psychiatre voyait en lui un homme lâche mais pas forcément mauvais. Un peu comme lui, en somme.

Depuis quelques semaines, les deux hommes se retrouvaient régulièrement et échangeaient sur différents sujets. Sous prétexte de lui apporter de l'aide, Josef Meyer quittait généralement son bureau en début d'après-midi pour rejoindre son chef. Entre eux, il était question de la guerre, bien sûr. Contrairement au psychiatre, le capitaine Wirths appréhendait l'arrivée de l'Armée rouge. Il savait qu'il aurait à se faire discret pour échapper à un châtiment qu'il imaginait sans merci. En tant que médecin-chef du camp, il avait des responsabilités qu'il ne pourrait nier. Josef Meyer, lui, était serein. Il attendait les Russes comme une délivrance. Son âme ne trouverait la sérénité que dans la mort, et chaque jour l'en rapprochait un peu plus.

Le soir, avant de rentrer chez lui, il s'attardait dans le camp. Il n'avait jamais fait cela auparavant. Au contraire, il s'était jusque-là toujours attaché à fuir la réalité mais maintenant, pour quelques obscures raisons, il avait besoin d'y être. Il assistait aux retours des *kommandos* de travail, aux interminables séances d'appel, à la distribution de la soupe, aux coups de matraques. Il voulait être témoin des conditions de détention des prisonniers maintes fois décrites par Zelmann et Irena. Par déformation professionnelle, il cherchait à lire quelque chose dans ces yeux perdus, reclus au fond de leurs orbites. La plupart du temps, il n'y voyait que du vide mais parfois, de discrets signes de main évoquant la victoire échangés entre les plus vaillants le ramenaient à l'imminente défaite allemande.

Alors que lui attendait sa fin, eux retrouvaient foi en l'avenir.

Ce n'est que bien plus tard, quand les allées redevenues vides le faisaient se sentir à nouveau seul qu'il regagnait sa villa. Dans cette grande bâtisse où seul Yull, son fidèle braque, l'attendait désormais, il se sentait comme abandonné sur une île déserte. Après Irena, Zelmann avait fait évader Dariuz, puis quelque temps après, Magda et Anatol avaient à leur tour retrouvé leur liberté, le laissant seul avec ses démons. Par bonheur, il possédait une cave bien garnie. C'est dans l'alcool qu'il noyait un peu plus chaque jour son impatience et sa culpabilité. Il avait toujours eu un faible pour le cognac mais avec le temps, il était devenu moins regardant. Peu importait le breuvage. La première bouteille, qu'il avalait au goulot d'un trait, servait à faire cesser les tremblements. Il aurait pu boire du parfum, l'effet aurait été le même. Ensuite, il versait du cognac dans un verre qu'il sirotait devant la cheminée en fumant un cigare. De son état psychologique dépendait le nombre de bouteilles ingurgitées avant d'aller se coucher. Il avait besoin de ce bien-être illusoire qu'apportait l'alcool pour trouver le sommeil. Titubant, il regagnait alors sa chambre et se couchait sans prendre la peine de retirer la totalité de ses vêtements. Au fil des jours, il mangeait de moins en moins et buvait de plus en plus.

Pour Noël, son addiction atteignit son paroxysme. Seul avec Yull devenu son confident, il vida une bonne partie de la cave si bien qu'il ne trouva plus en lui la force nécessaire pour se hisser jusqu'au premier étage. Il tenta malgré tout de se raccrocher aux meubles et objets sur son chemin mais l'ivresse fut la plus forte. Il chuta violemment sur le sol. Quand, au petit matin, il se réveilla par terre au milieu du salon la tête baignant dans son vomi, il prit conscience de ce qu'il était devenu. Une loque, une épave, un déchet.

Sa lâcheté ne le quitterait jamais. Il souhaitait attendre la mort mais était incapable de l'appréhender sobre et digne comme un homme. D'ailleurs à Auschwitz, des hommes, il n'y en avait pas. Ou si peu. D'un côté, comme de l'autre. Des monstres fabriqués dans les usines à asservir du Führer, plus communément nommées *Hitlerjugend* ou *Lebensborn*, programmés pour transformer en seulement quelques heures des êtres humains, juifs de préférence, en bêtes sauvages prêtes à tout pour gagner quelques minutes de vie supplémentaires quitte à parfois condamner sans scrupule un de leurs semblables. Voilà ce qu'était Auschwitz : une concentration d'êtres, qui probablement un jour, plus ou moins lointain, avaient ressemblé à ce que l'on peut qualifier d'humains capables d'aimer, de s'entraider et de s'émouvoir pour un des leurs plus mal muni. Au milieu de tout ça, Josef Meyer avait bien du mal à se situer. Il n'appartenait à aucun des deux groupes et pourtant, il ne se sentait pas plus humain qu'eux. Là était bien la question : qu'est-ce qui différencie l'humain de la bête ?

Voilà où en était son esprit quand un nouveau spasme vint secouer son estomac. Cette fois seule un peu de bile souilla le tapis. Il avait déjà tant vomi que plus rien ne pouvait sortir. Il voulut se relever et poussa si fort qu'il réussit à se hisser sur ses avant-bras puis sur ses bras. Ses mains enfin à plat sur la carpette, il continua sa périlleuse ascension. Une fois son buste presque à la verticale, il posa un pied sur le sol pour tenter de se redresser complètement mais sa jambe ne le porta pas. Il retomba lourdement sur le tapis. Son fidèle braque s'approcha de lui et se mit à lui lécher le visage pour le nettoyer de cette répugnante couche puante qui le recouvrait. Le chien mangea ensuite le reste des déjections répandu sur le sol. Meyer ne broncha pas. Il songea à la dernière fois qu'il s'était mis dans un état similaire. C'était Schüller qui, à l'époque, l'avait ramassé pour le raccompagner jusque chez lui. Hermann Schüller. Décidément, même mort, cet homme viendrait hanter son esprit jusqu'à la fin de ses jours. Cet être monstrueux incarnait presque à lui seul toute l'horreur d'Auschwitz. Était-il un homme, celui-là ?

84

Les jours qui suivirent, Josef Meyer tenta, avec l'aide des photos de sa femme et sa fille qui ne quittaient plus les poches de son pantalon et du souvenir d'Irena, de retrouver un peu de force et de dignité. Le cognac l'accompagnait toujours à chaque heure de la journée mais il parvenait à gérer pour ne pas retomber si bas que la nuit de Noël. Une fiole dans la poche intérieure de sa veste, il continuait, chaque matin et chaque soir, à faire le tour du camp. Ça l'occupait et l'aidait à rester digne jusqu'à l'arrivée des Russes. Il y croisait de moins en moins de soldats SS mais ceux qui restaient n'avaient rien perdu de leur cruauté. Comme pour profiter de leurs derniers instants de supériorité, ils exécutaient les détenus à leur guise. Encore plus qu'à l'accoutumée, les coups de fusils et de matraques pleuvaient sans raison. Dans ce désordre chaotique, Josef Meyer essayait d'apporter un peu d'aide et de réconfort aux internés. Il le faisait ouvertement sans craindre de quelconques représailles de la part de ses collègues allemands. « Fusillez-moi ! pensait-il quand il croisait le regard réprobateur de l'un d'entre eux. J'en serai soulagé… »

Un soir, alors qu'il s'apprêtait à rentrer chez lui, un événement imprévu se produisit. Il devait être environ dix-huit heures ce jour-là, quand, dans la nuit et le froid, il assista au retour d'un *kommando* de travail de l'*Union Werke*. Ces femmes affaiblies attendaient un appel qu'elles savaient long et pénible avant de pouvoir enfin tremper leurs lèvres dans ce liquide tiède et trouble injustement appelé soupe. Mais ce soir-là, il en fut autrement. Les Allemands leur avaient réservé un petit spectacle. Les détenues tout juste rentrées de leur longue journée de labeur furent priées de rester debout dans la neige face à trois potences. À l'issue de longues minutes d'incompréhension, des femmes furent amenées. Un murmure collectif s'éleva dans l'assemblée quand les travailleuses de l'*Union Werke* reconnurent leurs camarades qui, quelques mois plus tôt, avaient fourni la poudre aux hommes du *Sonderkommando*. À ce moment-là, ces rebelles avaient été retirées de l'usine sans que personne ne sache où elles étaient emmenées. Très affaiblies et tenant à peine sur leurs jambes, elles faisaient maintenant face à la foule. Les Allemands prononcèrent un discours dont le sens n'échappa à personne même si les mots restèrent pour la plupart incompris. « Voilà le sort que nous réservons à tous ceux et celles qui tenteront un quelconque acte de rébellion. » Dans le silence de mort qui suivit, les trois femmes se virent passer la corde au cou et pendues face à une assemblée terriblement choquée.

Josef Meyer légèrement en retrait assista impuissant à la scène. Pour lui, comme pour beaucoup, la pendaison de ces femmes s'avéra extrêmement douloureuse. Quand les corps suspendus cessèrent de se balancer, il resta immobile, les yeux rivés sur la femme placée au centre. Cette fois, il reconnut de suite ce visage. La détenue des sélections, la meurtrière de Schüller, elle avait aussi contribué à la révolte du *Sonderkommando*. Décidément, cette femme avait beaucoup plus de cran et de courage que lui, pensa-t-il. Quand les détenues furent enfin reconduites jusqu'à leurs blocks respectifs, il s'approcha du corps de cette femme. Sur sa blouse et son avant-bras, il put lire A-71935, ce matricule permettant de connaître la date d'arrivée des déportés. Cette femme devait être là depuis un an, un an et demi peut-être. Une longévité incroyable, compte tenu de la dureté des conditions de détention dans ce terrible endroit. Il observa un moment ce visage qui, autrefois, avait dû être doux et beau à regarder et sentit ses yeux lui piquer. Il lui prit la main comme pour la réconforter et, tandis que son bras déchirait malencontreusement la doublure de sa blouse, un objet rigide glissa sur le sol. Un petit carnet sur lequel il reconnut ce même matricule, A-71935, gisait dans la neige. Instinctivement, il le fourra dans sa poche d'où il retira presque simultanément sa fiole de cognac. Une longue rasade qu'il sentit se diffuser dans tout son corps lui redonna de la contenance. Il s'alluma une cigarette et regarda intensément ce visage comme s'il souhaitait le graver à tout jamais dans sa mémoire. Quand il s'éloigna enfin, la neige se remit à tomber.

Trois semaines plus tard, les Russes entraient dans le camp. Par moins vingt-cinq degrés, le 27 janvier 1945, l'Armée rouge donna l'assaut qui lui fit perdre soixante-six hommes. De l'autre côté, les SS qui ne périrent pas durant l'affrontement furent constitués prisonniers. Josef Meyer fit partie de ceux-là. Le moment tant attendu par le psychiatre était enfin là mais les choses n'allaient pas se dérouler comme il l'avait si longtemps espéré. Il aurait fallu un simple coup de fusil des forces ennemies pour mettre fin à une existence de plus en plus lourde à supporter. Il n'en fut rien. Les Russes le rouèrent de coups avant de l'enfermer dans une cellule du block 10.

À Auschwitz-Birkenau, ils délivrèrent sept mille détenus impotents autour desquels les corps décharnés de leurs camarades entamaient une lente putréfaction. Au fur et à mesure de leur progression, les hommes de Staline découvrirent des amoncellements de corps, de cheveux, de chaussures ou de dents en or. Avant leur départ, les nazis avaient détruit les chambres à gaz, les crématoires, les salles de déshabillage ainsi que la plupart des registres. Subsistaient cependant les restes humains et les objets spoliés aux déportés.

Au fond de sa cellule, Josef Meyer comprit que s'il voulait quitter cette terre, il lui faudrait se débrouiller seul. Dans sa poche, il avait bien cette fiole contenant les quelques gouttes de poison suffisantes pour l'emmener auprès de sa femme et sa fille. En avait-il seulement le droit ou devait-il faire face à son destin ? Par respect pour Zelmann, Irena et tous ceux qui avaient eu moins de chance qu'eux.

Une chose pourtant était claire. La torture ne cesserait pas. Du moins pas encore. De temps à autre, il sortait de sa poche la fameuse fiole libératrice. Il en admirait, parfois durant de longues heures, le contenu mordoré mais finissait toujours par le remettre délicatement au fond de la poche intérieure de sa veste pour en retirer celle contenant son alcool préféré. Malheureusement plus une seule goutte de cognac ne s'en échappait. Le premier jour, il avait bu sans retenue et regrettait maintenant de ne pas avoir été plus prévoyant. Déjà les premiers signes du sevrage étaient là. Tremblements, sueur, bouche sèche. L'alcool lui manquait. Il plongeait régulièrement sa langue dans le goulot de verre et léchait le plus profondément possible mais il n'y avait plus rien. Alors il hurlait, se frappait la tête comme pour faire cesser un cauchemar, donnait des coups de pied contre le mur mais rien n'y faisait. Le malaise persistait. Dans un accès de violence, il brisa malencontreusement sa fiole de poison, mettant ainsi un terme à ses questions existentielles. Les premiers jours furent les pires. Toute la journée, il restait à l'affût du moindre bruit espérant que quelqu'un décide enfin de son sort puis, la nuit venue, diverses images venaient hanter son esprit sans sommeil. Sa femme, sa fille, la guerre, le programme GEIST 24, Schüller, Höss, Wirths, Irena, Zelmann, les flammes, l'odeur, les chiens, les cris. Oui, tout cela avait bel et bien existé.

Et maintenant ?

85

Cinq jours et cinq nuits avaient passé quand un soldat de l'armée russe fit irruption dans la cellule du médecin allemand pour lui ordonner de le suivre. Incapable de comprendre un mot de cette langue slave, Meyer ne broncha pas. Excédé, le Russe le frappa si violemment sur la nuque qu'il s'effondra inconscient.

Quand bien plus tard il reprit connaissance, le corps courbatu, il était ballotté à l'arrière d'un camion. Impossible de savoir où il était mené ni quel sort lui était réservé. Plusieurs fois, le véhicule s'immobilisa et des voix lui parvinrent de l'extérieur. À chaque escale, de nouveaux prisonniers SS venaient le rejoindre et les Russes profitaient de l'occasion pour leur balancer de l'eau et un morceau de pain dur qu'ils s'empressaient d'avaler. Replié sur lui-même, Meyer restait en retrait dans le fond du camion. Les signes de sevrage alcoolique s'estompaient peu à peu, cédant leur place aux douloureux spasmes de son estomac vide. Après bien des détours, le camion arriva enfin à Varsovie. On fit descendre les prisonniers qui s'avancèrent vers leur geôle. Sur le chemin qui les y menait, ils furent assaillis par une foule de Polonais en furie. Certains vociféraient d'incompréhensibles mots d'insultes tandis que d'autres exhibaient leurs avant-bras tatoués. Parmi eux, Meyer crut reconnaître un ami de

Zelmann. Un des membres du *Kampfgruppe* Auschwitz qu'il avait aperçu en compagnie de son secrétaire quelque temps avant l'évasion d'Irena.

Jeté derrière les barreaux, Meyer connut son premier interrogatoire le soir même. L'Anglais qui l'interrogea voulut surtout l'impressionner à coups de ceinture et n'écoutait que très distraitement ce qu'il tentait d'expliquer. Le supplice dura une trentaine de minutes à l'issue desquelles le médecin fut reconduit dans sa cellule qu'il partageait avec deux autres Allemands. Sans échanger un mot avec ses compagnons, Meyer s'allongea et trouva le sommeil sans trop de difficultés. Le lendemain, un nouvel interrogatoire l'attendait. Différent, cette fois. Un gradé anglais demanda à ce qu'on commence par lui retirer sa chemise afin de vérifier s'il avait son groupe sanguin tatoué sous son bras. Tous les dignitaires SS portaient cette marque, salutaire sous le troisième Reich mais fatale, étant donné les circonstances. Meyer, comme Mengele, Wirths et ses autres collègues médecins, n'avait jamais été tatoué. Cette absence de marquage lui garantirait la vie sauve et tôt ou tard, il serait relâché, pensa-t-il. Pourtant les jours suivants, on continua à l'interroger. Avec moins de brutalité, l'Anglais demandait à Meyer de s'exprimer sur le camp d'Auschwitz et écoutait attentivement ses réponses. Le psychiatre relatait les faits le plus fidèlement possible sans chercher à noircir ou enjoliver son rôle. Il était ensuite ramené dans sa cellule d'où il ne ressortirait que le lendemain pour un nouvel interrogatoire. Quotidiennement, l'Anglais renouvelait inlassablement les mêmes questions cherchant sans doute à comprendre l'incompréhensible.

Durant plusieurs semaines, la vie de Josef Meyer fut rythmée par ces interrogatoires suivis par de longues heures d'attente dans sa cellule dont il était désormais le seul occupant. Très vite il crut devenir fou. Les jours passaient et toujours personne pour lui parler de sa libération. On ne semblait pourtant pas vouloir l'exécuter non plus. Alors quoi ? Que voulaient-ils ?

Attendre que le temps passe, que le verdict tombe, qu'on lui dise ce qu'on ferait de lui. Serait-il jugé ? Au bout de quelques semaines, il se surprit à parler seul. Le buste voûté, il passait son temps assis par terre. Il ne tremblait plus mais un petit verre n'aurait pas été de refus pour lui éviter de sombrer dans les abîmes de la démence. C'est alors qu'il se souvint du carnet ramassé après la pendaison de la jeune femme juive : A-71935. Il le tira de sa veste. Coincé entre les pages, il découvrit une photo. Une famille souriait à l'objectif. Une famille heureuse au bord d'un lac. Il ferma les yeux et se souvint d'une journée d'été avec Angela et leur petite Lily. Ils s'étaient rendus à la campagne à quelques kilomètres de Berlin, près d'une rivière. Lui avait pêché une bonne partie de l'après-midi entouré des sourires des deux amours de sa vie. Un des plus beaux souvenirs d'une époque qui lui paraissait si lointaine aujourd'hui. Ces gens sur cette photo avaient dû connaître le bonheur, eux aussi, avant que la guerre ne vienne le leur reprendre. Il sentit des larmes couler sur son visage. À quoi ça tient la vie ? À quoi ça tient ?

86

Le 11 mars 1945, alerté par son camarade du *Kampfgruppe* Auschwitz, Zelmann Steinberg se présenta à Varsovie pour témoigner en faveur de son ancien patron. Grâce à son intervention et en l'absence de groupe sanguin tatoué sous son bras, Josef Meyer fut relâché. Quelques jours plus tard, il retournait à Berlin. La capitale allemande avait perdu de son prestige, mais par chance le quartier où se trouvait son appartement avait été épargné par les bombardements. Il se souvint que sa femme se trouvait chez une de ses amies lorsqu'elle avait péri sous les bombes.

Le psychiatre pénétra non sans émotion dans ce lieu où il avait jadis vécu si heureux. La chambre de la petite était comme lorsqu'il l'avait embrassée pour la dernière fois. Jusqu'au bout, son épouse avait tenu à conserver intacts les moindres effets ayant servi à leur fille. Même les draps n'avaient pas été changés. Meyer s'approcha du lit et se pencha pour en humer le parfum. L'odeur de son bébé était toujours perceptible. Il fit de même avec les robes d'Angela. Les yeux fermés, il fut transporté quelques années en arrière, quand tout était encore possible. Il ne put retenir les larmes qu'il sentait monter en lui. Le chagrin était toujours là. Violent, sournois et si tenace. Il avait tout fait pour l'enfouir au plus profond de son être mais la peine, la tristesse et le désespoir ne l'avaient jamais quitté. En éminent spécialiste de la psychologie humaine, il savait mieux que quiconque que sans l'acceptation, la douleur ne disparaîtrait pas. Au mieux, avec le temps, elle s'atténuerait. Il s'essuya les yeux et alla fouiller les placards de la cuisine. Comme il l'espérait, une bouteille de cognac à peine entamée s'offrit à lui. Il ne résista pas. D'un geste rapide et sûr, il en retira le bouchon et porta le goulot à ses lèvres. Le passage de ce liquide ambré dans sa gorge sèche depuis si longtemps lui procura un intense plaisir. Quand il en eut avalé la dernière goutte, il se laissa tomber sur son lit et sombra. La bouteille vide roula sur le sol sans se briser.

Au petit matin, l'agitation de la rue le ramena à la réalité. La pagaille régnait sur la ville. L'entrée des Soviétiques sur le sol allemand avait provoqué la panique parmi les civils. Meurtres, viols ou pillages étaient devenus monnaie courante. De sa fenêtre, Josef Meyer fut le témoin de plusieurs agressions. Il retira à la hâte l'uniforme qu'il n'avait pas encore quitté pour revêtir des vêtements civils et descendit dans la rue. Beaucoup des commerces du quartier avaient fermé. Seule la boulangerie Schäfer en face de chez lui était encore ouverte. Il y entra et reconnut l'épouse du boulanger.

— *Doktor* Meyer ? Vous êtes revenu ? s'exclama-t-elle.

— Comme vous voyez, répondit-il laconique.

— C'est la panique, ici. Les gens sont devenus fous depuis que les Russes sont là.

— Les Russes sont à Berlin ?

— Non, mais ils approchent à grands pas. Ils sont arrivés en Allemagne par l'Est et les gens ont peur qu'ils ne remontent jusqu'ici.

— J'arrive de l'Est, moi aussi.

— Eh bien, vous ne devriez pas rester. Beaucoup partent vers l'Ouest et si je n'espérais pas le retour de mon fils, je ferais comme eux, croyez-moi.

— Votre fils, Fraü Schäfer ?

— Il n'a que quinze ans mais Goebbels a ordonné à tous les adolescents des *Hitlerjugend* d'intégrer les forces militaires. Voilà trois mois qu'il est parti maintenant et nous sommes sans nouvelles.

Meyer s'efforça de prendre un air de circonstance, laissant la boulangère se ressaisir en attrapant une miche de pain.

— Tenez, prenez ça ! ordonna-t-elle. Et cachez-la. La farine se fait rare, vous pourriez faire des envieux.

Meyer voulut la payer mais elle refusa. Il sortit et se mit à errer dans la ville. Au détour des rues, il avait parfois un peu de mal à reconnaître la capitale de la grande Allemagne, comme se plaisait à l'appeler le Führer. Aucun combat n'avait eu lieu dans la ville, pourtant tout laissait penser que l'on se trouvait dans une grande métropole de guerre. Les bâtiments abîmés ou détruits par les bombardements, la population apeurée, terrée dans des abris plus ou moins sûrs, vivant sans eau ni électricité, la violence, le marché noir florissant, tout laissait croire à une ville assiégée. Même le *Tiergarten*[1] devenu le point de ralliement de l'artillerie lourde n'avait plus rien de reposant comme du temps de sa petite Lily. Après avoir réussi à se procurer une bouteille de cognac, Josef Meyer rentra chez lui. Pas plus qu'à Auschwitz, il n'avait envie de fuir. Commença alors pour lui une triste période durant laquelle il renoua avec ses démons. Il ne sortait de chez lui qu'après avoir émergé d'un état quasi comateux pour traîner dans les rues à la recherche d'une quelconque bouteille d'alcool qu'il s'empressait d'aller vider dans son appartement. Mais l'offensive soviétique du 16 avril vint mettre un terme à sa descente aux enfers. Berlin fut bombardée par les hommes de Staline. Des formations ennemies entrèrent

---

1. Grand parc au cœur de la ville de Berlin.

par les faubourgs nord de la ville tandis que la population se réfugiait dans les sous-sols ou caves de leurs maisons. Josef Meyer, comme nombre de civils berlinois, trouva refuge dans le métro. Manger et boire devinrent alors une lutte de chaque instant. Malgré lui, le psychiatre dut à nouveau renoncer à sa dose quotidienne d'alcool. Très vite, la sueur et les tremblements reprirent. Un peu à l'écart de ses compatriotes, Meyer se terra dans un renfoncement de la paroi d'une des artères du métro. Recroquevillé sur lui-même, il décida d'attendre que les signes du manque s'atténuent. Dans l'incapacité de manger, boire ou même trouver le sommeil, le psychiatre crut à nouveau devenir fou. Le bruit, l'agitation générale, la peur, jusque-là, c'est seulement à travers la fenêtre de son bureau d'Auschwitz qu'il avait assisté à ce genre de spectacle. Malgré cela, pour lui, le pire restait à l'intérieur. Ballottée entre cauchemars, souvenirs pénibles et douloureux, et culpabilité, sa tête était au bord de l'explosion. S'il avait pu, il se la serait coupée à bien des reprises. Son trouble était tel que Meyer ne remarqua pas l'eau faire son entrée dans les couloirs du métro. Immédiatement, la panique s'empara des gens qui se mirent à courir dans tous les sens pour tenter de sauver leur peau. Quand le psychiatre prit conscience de l'inondation, l'eau lui arrivait à la taille. Le niveau montait à une vitesse vertigineuse. Autour de lui, des corps sans vie flottaient déjà. Voyant là sa fin proche, Meyer se rassit dans son coin. « Cette fois, c'est la bonne… » pensa-t-il dans son for intérieur. Il ferma les yeux, espérant que la mort l'emporte sans trop de souffrances. L'eau lui arrivait au niveau des aisselles quand un homme grand et costaud s'effondra sur son épaule. Meyer laissa échapper un cri guttural de douleur qui surprit le gaillard.

— Je vous croyais mort ! lança-t-il en se redressant.

Le psychiatre ne répondit pas.

— Allez, levez-vous, il faut partir. Le niveau monte dangereusement.

D'un mouvement de tête, Meyer signifia son intention de rester. Pressé par l'urgence de la situation, le type lui asséna un violent coup de poing sur le visage.

— Et maintenant, si vous n'en voulez pas un autre, dépêchez-vous de me suivre !

La force et la volonté de ce providentiel inconnu forcèrent le médecin à se lever et à fuir. Au prix d'innombrables efforts, les deux hommes se retrouvèrent enfin à l'air libre. Essoufflés, ils restèrent un long moment allongés sur le sol. Puis le type partit d'un bruyant éclat de rire et tendit sa main au psychiatre.

— Wolfgang Fritz.

— Josef Meyer.

— Il s'en est fallu de peu, hein ?

Le médecin acquiesça.

— Vous n'êtes pas bavard, vous ! Vous pourriez au moins me remercier. Sans moi, vous seriez noyé à l'heure qu'il est.

— C'est ce que j'espérais, figurez-vous. Allez, laissez-moi maintenant.

Wolfgang Fritz n'insista pas et s'éloigna en grommelant. À l'extérieur, un peu partout dans la capitale, les combats semblaient s'être multipliés durant leur séjour dans le métro. Le *Reichtag*, les ministères, le *Führerbunker* et tous les points stratégiques de Berlin étaient menacés.

Le psychiatre regagna son appartement qu'il trouva dévasté. Une façade s'était effondrée sous les bombes et les pillards avaient profité de l'occasion pour se servir. Volés ou brûlés, des souvenirs de sa femme et sa fille, il ne restait plus rien. Meyer s'effondra sur le sol la tête entre ses mains. Il cria et pleura comme jamais il ne l'avait fait auparavant. La douleur enfin avait décidé de sortir.

Il passa deux jours chez lui oscillant entre des moments de cris, colères et pleurs, suivis par de plus ou moins longues périodes durant lesquelles il restait prostré, replié sur lui-même. Le troisième jour, poussé par un estomac affamé, il se mit en quête de quelque chose à se mettre sous la dent. Malheureusement, si l'appartement avait toujours l'eau courante, les placards étaient vides. Il en inspecta les moindres recoins mais tout avait été volé. Provisions, vêtements, bijoux. Plus rien ne subsistait. La seule chose que les voleurs avaient laissée était ce petit carnet ramassé à Auschwitz : A-71935. Sa première réaction fut de le jeter rageusement sur le sol puis il se ravisa. Il le ramassa, en épousseta la couverture recouverte de poussière due au bombardement et en tira la photo qu'il avait déjà regardée lors de sa captivité à Varsovie. Tout en fixant ces visages inconnus, il se laissa glisser par terre. Après de longues minutes, il souleva la couverture et commença à lire. Dès les premiers mots, il comprit que ce petit carnet allait changer sa vie.

87

Le 20 avril, après la traditionnelle cérémonie d'anniversaire du Führer, la plupart des hauts dignitaires nazis abandonnèrent leur maître et quittèrent Berlin. Tandis que l'Armée rouge s'emparait de la ville, Adolf Hitler se retira dans son bunker et mit fin à ses jours. Quelques jours plus tard, l'Allemagne capitula et, conformément aux accords de Yalta, Berlin fut partagée en quatre secteurs.

Pour la majorité des Allemands, la défaite de la *Wehrmacht* sonna le glas. Logements, vêtements, nourriture commencèrent à faire cruellement défaut et la destruction des réseaux de transports rendit le réapprovisionnement extrêmement difficile. Dans le pays, la misère s'installa et quand, en guise de dédommagement et pour éviter une éventuelle nouvelle guerre, les alliés décidèrent de démanteler les entreprises militaires et industrielles, la colère et l'incompréhension montèrent encore. L'inflation et les problèmes économiques qui en découlèrent ne firent qu'amplifier la peur des Russes qui pillaient, volaient et détruisaient tout sur leur passage. Josef Meyer décida alors de quitter Berlin. Comme nombre de ses compatriotes, il prit la direction de l'Ouest. Les premiers jours de marche furent les plus pénibles. La nourriture, qui malgré les cartes de rationnement se faisait rare, le froid et la quête d'un endroit où dormir, étaient au cœur de ses préoccupations une bonne partie de la journée. Ce n'était qu'à la nuit tombée, réfugié dans une ferme hospitalière ou à l'abri d'un tas de ruines qu'il pouvait enfin souffler. Il avalait alors ce qu'il avait pu dénicher au marché noir puis ressortait le carnet.

A-71935, il l'avait lu et relu jusqu'à le connaître presque par cœur. Au fil des pages, il avait pleuré, vomi même parfois, mais une chose lui était apparue évidente dès les premiers mots. S'il était libre et encore en vie, en possession de ce carnet qui ne lui était pas destiné, c'était parce qu'il avait un devoir à accomplir. Une mission même. Et cette mission, Josef Meyer s'était fait le serment de la mener jusqu'au bout. Quoi qu'il lui en coûte. À compter de ce jour, il ne vivrait que pour ça. Que pour elle.

Retrouver Hannah.

88

Au printemps 1946, alors qu'il n'était qu'à quelques kilomètres de la frontière luxembourgeoise, Josef Meyer trouva refuge dans une ferme très retirée de la campagne allemande. Son hôte, un dénommé Ernst Wilhems, devait avoir dans les trente-cinq ans mais il en paraissait vingt de plus. Il avait combattu sur le front de l'Est avant d'avoir été constitué prisonnier par l'Armée rouge. C'était un des rares soldats à être revenus du goulag. Parti en ville échanger quelques œufs et légumes contre du café et du chocolat, il avait aperçu Meyer errer tel un vagabond. Le dos courbé sous le poids de son encombrant baluchon, il lui avait paru fatigué. Ernst Wilhems s'était approché et lui avait proposé le gîte et le couvert. Un peu de compagnie ne lui ferait pas de mal, et puis il voulait avoir des nouvelles de Berlin. Cet homme aurait certainement des informations intéressantes sur le sujet. Meyer ne se fit pas prier. Il n'avait pas dormi dans un vrai lit depuis plusieurs jours, et son hôte lui parut d'emblée sympathique. Quand ils arrivèrent à la ferme, Meyer comprit que dans un coin retiré comme celui-là, il ne devait pas y avoir beaucoup de monde et encore moins d'étrangers. Ernst Wilhems vivait apparemment seul et devait manquer de compagnie, pensa-t-il. Les deux hommes s'installèrent pour le dîner et Wilhems expliqua à Meyer comment, après avoir lutté avec l'unique espoir de rentrer sain et sauf pour embrasser les siens, il avait à son retour découvert les corps sans vie de sa femme et ses enfants ensevelis sous les décombres de l'étable. Ils avaient probablement voulu se mettre à l'abri d'un bombardement mais aucun n'avait survécu. Sans fausse pudeur, Josef Meyer à son tour raconta son histoire. Berlin, sa famille, son travail à l'hôpital, puis Auschwitz, les sélections, les exterminations et enfin Irena et Zelmann. Il termina par le carnet et son objectif de retrouver l'enfant perdue des Lindbergh.

Ernst écouta le psychiatre sans l'interrompre. Comme beaucoup, le fermier avait entendu parler des camps d'internement mais avait du mal à imaginer ce que Josef Meyer venait de lui décrire. Sous le choc des révélations qu'il venait d'entendre, il abandonna son invité quelques instants et revint avec une bouteille de cognac.

— Je crois qu'après ce que vous venez de me raconter, j'ai besoin d'un petit remontant.

Le psychiatre regarda longuement la bouteille de son breuvage favori. Il en devinait la saveur chaude et forte. Dire qu'il ne fut pas tenté serait mentir, mais il s'était fait une promesse : plus une seule goutte d'alcool tant qu'il n'avait pas retrouvé Hannah. Il ne mentionna pas son problème d'alcoolisme et refusa poliment le verre tendu.

— Je n'y connais peut-être rien, mais par les temps qui courent, je ne suis pas certain qu'aller en France soit une bonne idée, déclara Ernst en reposant la bouteille sur le buffet.

— Vous avez certainement raison, mais si je veux retrouver cette petite, c'est par là qu'il faut que je commence mes recherches.

— Vous ne craignez pas la cour internationale ? hasarda le fermier.

— Vous faites allusion à ce qu'il se passe à Nuremberg, je suppose ?

— Venant de là où vous arrivez, je serais inquiet à votre place.

— Après la libération d'Auschwitz, j'ai été prisonnier à Varsovie. S'ils avaient voulu me juger, c'est à ce moment-là qu'ils l'auraient fait.

— Comment pouvez-vous en être si sûr ?

— Quelque temps après ma libération, j'ai appris qu'Arthur Höss, l'ancien commandant du camp, avait été emprisonné dans cette même prison de Varsovie. Lui sera jugé à Nuremberg. S'ils m'ont laissé partir, c'est que je ne les intéresse pas. Et puis d'anciens détenus que j'avais aidés ont témoigné en ma faveur. C'est grâce à eux si je suis ici aujourd'hui.

— Eh bien, vous m'en voyez soulagé. Vous m'êtes sympathique, *Herr* Meyer. Restez ici le temps qu'il vous faudra mais réfléchissez : un Allemand à Paris qui cherche une petite fille juive, ça risque d'être malvenu.

89

Josef Meyer suivit les conseils d'Ernst Wilhems et vécut plusieurs années dans ce coin retiré de la campagne allemande. Les deux hommes semblaient avoir uni leurs tristesses et leurs solitudes pour reprendre pied dans l'existence. De cette ferme loin de tout, Meyer suivit le procès de Nuremberg et apprit le suicide de Höss. Il eut vent de la disparition de Mengele et en son for intérieur espérait qu'il soit à son tour jugé et condamné. Il connaissait bien le bonhomme et le journal de Sarah Lindbergh n'avait fait que confirmer son opinion : une belle ordure, un monstre qu'on préférerait ne jamais croiser dans sa vie.

Le contexte difficile de ces années donna raison à Ernst et Josef se rangea à son opinion : il était encore trop tôt pour aller en France. Le premier apprit au second tous les rudiments pour devenir un bon fermier et la manœuvre s'avéra payante. Grâce à ce qu'ils parvenaient à produire, les deux hommes se nourrissaient correctement et revendaient le surplus au marché du village voisin. Ils pouvaient ensuite s'acheter vêtements, cigarettes et même s'offrir une petite femme de temps en temps. Durant cette période, Josef Meyer se sentit renaître. Il avait trouvé un ami et ça faisait bien longtemps qu'il n'en avait pas eu. Il savait portant qu'un jour il partirait. Sans qu'il sache où exactement, il sentait que sa vie était ailleurs. À la fin de l'année 1949, la proclamation de la division de l'Allemagne sema la confusion dans son esprit. Il comprit que pour lui le moment de partir était arrivé. D'un coup, le contexte semblait avoir changé. Hier encore il était un ancien nazi, à présent il serait un Allemand de l'Ouest. La peur et la haine des nazis faisaient lentement place à celles des bolcheviques. Il allait pouvoir se mettre à la recherche d'Hannah.

Ernst le mena au train un matin du printemps 1950. Josef Meyer prit la direction de la Suisse où Eduard Stein, un ancien collègue de Berlin, l'attendait. Comme plusieurs de ses confrères, celui-ci y avait trouvé refuge en 1933 et exerçait à la clinique psychiatrique universitaire de Zurich, plus connue sous le nom de Burghölzli. Une place venait de se libérer et Stein en avait aussitôt informé son ami qui ne s'était pas fait prier. Josef Meyer avait accepté le poste sur le champ et, en quelques jours, Eduard lui avait déniché un petit appartement à deux rues de la clinique. Une nouvelle vie allait pouvoir commencer.

90

À Zurich, Josef Meyer apprit à se reconstruire. Il retrouva une activité professionnelle proche de celle qu'il exerçait avant l'arrivée d'Hitler au pouvoir. À plusieurs reprises, il avait essayé de retrouver la trace de Zelmann pour prendre des nouvelles, voir ce qu'il était devenu, mais son nom n'était pas référencé parmi les médecins de Pologne ou d'Israël. Il se mit aussi à la recherche d'Hannah. À son ami le docteur Stein, il n'avait rien caché et, en homme intelligent, celui-ci avait su l'aider dans sa nouvelle vie. Il l'encouragea à retrouver la petite Lindbergh et se réjouit lorsque trois ans plus tard, le 6 janvier 1953, il put l'accompagner à la gare pour son premier voyage à Paris.

— Alors Josef, c'est le grand départ ? demanda Eduard en tapant sur l'épaule de son ami.

— Ça fait si longtemps que j'attends ce moment que je ne pensais plus y parvenir.

— Tu as bien fait d'attendre. Avant, cela n'aurait pas été possible.

— Tu as peut-être raison mais les choses risquent d'être encore plus compliquées aujourd'hui.

— Ton objectif est louable, mon cher Josef, ambitieux aussi. C'est une aiguille dans une botte de foin que tu cherches. En es-tu seulement conscient ?

— Bien sûr. Il n'y a que très peu de chances pour que cette petite soit encore en vie et, si c'est le cas, la probabilité de la retrouver est extrêmement faible. Mais je me suis promis de tout mettre en œuvre pour y parvenir et j'irai jusqu'au bout.

— Combien de temps restes-tu à Paris ?

— Quatre jours seulement. Je dois être de retour lundi, j'ai des consultations à la clinique.

— Tu comptes aller où ?

— Dans les quartiers juifs d'avant-guerre. D'après le carnet de Sarah, son mari avait un magasin de chapeaux. J'espère retrouver cette boutique et à partir de là, tout sera possible pour remonter jusqu'à Hannah.

— Je te souhaite bonne chance, mon ami. Tiens, voici l'adresse de mon cousin Simon. Va le voir de ma part. Il habite rue des Rosiers et pourra peut-être t'aider.

Josef Meyer eut un sourire reconnaissant à l'égard de son collègue. De confession juive, Eduard Stein avait fui l'Allemagne face à la montée du nazisme et trouvé refuge en Suisse. De son collègue, il connaissait toute l'histoire : son manque de réaction lors des premières lois antisémites, sa mutation à Auschwitz, les tragiques disparitions de sa femme et sa fille, sa descente aux enfers suivie d'un lent retour à la vie avec l'envie de se racheter.

Eduard Stein n'avait jamais jugé Meyer et, à aucun moment, il ne lui avait fait le moindre reproche. Pour ses qualités d'homme, le psychiatre lui en serait à jamais reconnaissant.

— Tu sais Eduard, si j'avais su ce qu'était Auschwitz quand ils m'y ont envoyé, jamais je n'y serais allé.

Stein hocha la tête et dans une accolade, ajouta :

— Maintenant file, tu vas rater ton train.

91

Paris, le 26 juillet 1953

Tout juste arrivé dans la capitale française, Josef Meyer se rendit au cœur du quartier juif d'avant-guerre. On était dimanche et les nombreux commerces affichaient portes closes. Dans la rue pourtant, les trottoirs grouillaient de monde. La messe au 55 boulevard de Belleville venait de se terminer et les gens flânaient dans la douceur estivale. Des gamins jouaient aux billes sous une porte cochère quand d'autres préféraient courir les uns après les autres ou faire une partie de balle parisienne. Au milieu de ces artères noires de monde, Josef Meyer se mêla à la foule. Des maroquiniers aux fourreurs, en passant par les giletiers, casquettiers et autres chausseurs, le quartier semblait être entièrement dédié à la confection. Il quitta le boulevard de Belleville pour remonter la rue Ramponeau jusqu'à la rue Julien Lacroix. De là, il s'engagea dans les allées du parc de Belleville où il s'installa sur un banc à l'abri des rayons du soleil. Au-dessus de lui, le ciel était bleu azur. Il sortit délicatement le journal de Sarah Lindbergh et en tourna quelques pages pour arriver à celle faisant allusion à la boutique de chapeaux de son mari. Malheureusement, le journal A-71935 n'apportait pas d'information supplémentaire. Sarah se contentait de citer une boutique de chapeaux mais aucun nom de rue n'y était associé. Avant de refermer le carnet, Josef Meyer remarqua qu'il y avait dix ans, presque jour pour jour, que ces lignes avaient été écrites. Il réalisa aussi que le bébé recherché était aujourd'hui une petite fille d'environ dix ans. Sur la photo qu'il possédait, on distinguait à peine le visage du nourrisson, en revanche, les traits de la maman étaient parfaitement nets. « Si elle est encore en vie, cette enfant doit ressembler à sa mère... » pensa-t-il tout haut alors qu'un couple passait à proximité. Les quelques mots allemands prononcés par erreur figèrent les passants. L'homme serra son épouse d'un peu plus près et lança un regard noir à Josef Meyer avant d'accélérer le pas. Visiblement, la peur des boches n'avait pas complètement disparu. Le médecin attendit qu'ils soient au bout de l'allée pour se lever. Il quitta le parc au niveau de la rue Pia puis rejoignit la rue des Pyrénées qu'il parcourut dans les deux sens à la recherche d'un chapelier. Il était environ dix-huit heures quand il décida de quitter le quartier. S'il voulait trouver des informations sur les Lindbergh, il lui faudrait revenir le lendemain quand les commerces seraient ouverts. Il attrapa un bus qui le conduisit dans le Marais. Simon, le cousin de son ami Eduard, l'attendait pour le dîner. Josef n'eut aucun mal à trouver l'appartement qui faisait face à la plus ancienne synagogue de la capitale.

— Entrez, cher ami, et soyez le bienvenu chez nous, l'accueillit Simon comme s'ils se connaissaient de longue date.

Meyer s'approcha et salua comme il se doit l'homme qui n'avait pas peur de recevoir un Allemand chez lui.

— Avancez, avancez, ne restez pas dans l'entrée, monsieur Meyer, les amis de mon cousin Eduard sont ici chez eux.

Avec ses cheveux noirs et ses sourcils épais sous lesquels deux grands yeux globuleux semblaient vouloir jaillir hors de leurs orbites, Simon ressemblait fort aux caricatures qui avaient circulé quelques années plus tôt sur les affiches antisémites destinées à apprendre aux populations à reconnaître et à se méfier des Juifs.

— Lida ! Lida ! Ne reste pas dans ta cuisine, viens accueillir notre invité ! cria Simon à l'attention de son épouse.

Une jolie femme aux longs cheveux blonds remontés en chignon au niveau de la nuque vint saluer Josef Meyer. Elle était accompagnée d'une petite fille âgée d'une dizaine d'années.

— Cher monsieur Meyer, je vous présente mes deux amours : ma femme Lida et notre petite princesse Mila.

L'horloge sonnait dix-neuf heures quand les quatre personnes prirent place autour de la table merveilleusement dressée par la maîtresse de maison. La petite demeurait très intimidée par la présence de Josef Meyer. Elle n'osa pas lever les yeux de son assiette de tout le repas et, à peine la dernière cuillère de son dessert avalée, elle demanda l'autorisation de quitter la table. Tandis que Lida allait coucher sa fille, Simon en profita pour inviter Josef à s'installer au salon.

— Eduard m'a mis au courant de l'affaire qui vous amène à Paris. Il pense que je pourrai peut-être vous aider.

Meyer raconta toute l'histoire de la découverte du carnet à Auschwitz jusqu'à son arrivée à Belleville le matin même.

— Hannah doit avoir l'âge de votre petite Mila, aujourd'hui.

Simon hocha la tête, semblant chercher dans ses souvenirs quelque chose qui pourrait aider cet Allemand dans sa quête.

— Lida était déjà enceinte quand nous avons fui Paris. Nous sommes partis en zone libre chez une de nos clientes : Yvonne Marchal. Cette femme qui venait régulièrement au magasin commander de nouvelles étoffes s'était prise d'amitié pour ma femme. Unique héritière d'une riche famille de négociants, elle vivait seule sans mari ni enfant. Elle considérait Lida un peu comme la fille qu'elle n'avait pas eue. Alors, quand la chasse aux Juifs a commencé, elle nous a proposé de venir s'installer dans sa maison près de Toulon. Elle nous y a cachés jusqu'à la fin de la guerre comme si nous étions sa propre famille. Mila est venue au monde là-bas. Nous lui devons la vie.

Josef Meyer écouta avec émotion le récit de Simon.

— La famille de Sarah Lindbergh n'a pas eu cette chance. Tous sont morts à Auschwitz, sauf la petite Hannah. La seule chose que j'ai pour débuter mes recherches, c'est cette boutique de chapeaux qui marchait plutôt bien selon les écrits que j'ai en ma possession. Est-ce que leur nom vous dit quelque chose ?

— J'ai bien connu des Lindbergh mais ils étaient dans la finance, je crois. Et ils semblent avoir disparu, je ne les ai pas revus depuis notre retour.

— Quand êtes-vous revenus à Paris ?

— Dès la fin de la guerre, ma femme a voulu rentrer chez nous. Nous étions très bien chez Yvonne mais elle voulait que Mila grandisse là où nous avions connu nos belles années. Malheureusement, arrivés à Paris, nous avons vite compris que nous n'avions plus de chez nous. Tout ce que nous possédions avait été volé. Même notre ancien appartement était occupé. Nous étions vivants, libres, mais ruinés. Nous n'avions plus rien.

— Comment avez-vous fait ?

— Là encore, c'est Yvonne qui nous a aidés. Elle nous a trouvé cet appartement. Cette femme est notre ange gardien, monsieur Meyer. Une bonté rare, croyez-moi.

Josef sortit une cigarette de sa poche et en proposa une à Simon qui refusa d'un mouvement de tête.

— Mais rien n'est plus pareil. Beaucoup de gens ne sont jamais revenus. Et puis il y avait les autres. Ceux qui ont aidé les Allemands. Ceux qui nous ont dénoncés. Si vous aviez connu ce quartier avant la guerre, monsieur Meyer. C'était autre chose.

— Pourquoi n'êtes-vous pas partis en Israël ?

— Nous espérions retrouver nos amis, nos frères, nos cousins. Pour ça, nous étions aux premières loges. Vous voyez la synagogue en face ?

Meyer acquiesça.

— On l'a surnommée « la schule des déportés ».

— La quoi ?

— Schule. Ça signifie synagogue en yiddish. À la Libération, c'est là que se rendaient les rescapés des camps. Certains arrivaient vêtus du pyjama rayé qu'ils portaient en déportation. Tous espéraient retrouver un proche, un ami. Beaucoup ne retrouvèrent personne.

— Je suis désolé de vous faire revivre ces moments terribles, murmura Meyer.

— Mais non, mais non. Ce que vous faites est formidable. Je vais questionner mes relations : peut-être quelqu'un se souviendra d'un chapelier nommé Lindbergh.

— Un chapelier nommé Lindbergh ? répéta Lida en entrant dans la pièce.

— Ça te dit quelque chose, chérie ?

— Je me souviens qu'Yvonne parlait souvent de lui. Il confectionnait les plus beaux chapeaux de tout Paris, disait-elle.

— Votre amie était une cliente des Lindbergh ? s'enquit Meyer piqué au vif.

— Oui, une fidèle cliente même d'après ce que j'ai pu comprendre. Elle ne portait jamais deux fois le même chapeau. Elle en avait un pour chaque occasion. Yvonne est une femme très distinguée, vous savez.

— Croyez-vous qu'elle accepterait de me rencontrer ?

92

Toulon, le 11 août 1953

Quand Simon lui annonça qu'Yvonne était prête à le recevoir, Josef Meyer s'empressa d'organiser son déplacement. Pour son premier voyage dans le Sud de la France, il fut accueilli par une chaleur écrasante. Pas un souffle de vent pour venir tempérer les effets du soleil. Meyer arriva au 17 rue de la République ruisselant de sueur. Gêné par son manque d'élégance, il s'épongea le front avant de sonner. La domestique qui lui ouvrit, une jolie jeune fille aux yeux rieurs, le conduisit jusqu'à un patio intérieur où la maîtresse de maison l'attendait à l'ombre d'un figuier. Yvonne vivait dans une magnifique demeure du début du siècle. Décorée avec goût, la maison s'élevait sur deux étages et offrait l'espace suffisant pour accueillir un jeune couple avec un bébé sans occasionner trop de promiscuité. Âgée d'une soixantaine d'années, elle avait ce style très apprêté des gens de son rang. Elle invita Josef à s'asseoir près d'elle et lui fit servir une citronnade. Le psychiatre se sentit mal à l'aise face à cette femme si distinguée et charismatique qu'il ne trouvait pas ses mots. Par chance, elle vint droit au but.

— Lida m'a raconté votre histoire et j'ai là quelque chose qui peut vous intéresser, dit-elle en ouvrant une grande boîte ronde. Ce chapeau a été confectionné par

Isaac Lindbergh, monsieur Meyer. À l'époque, c'était le meilleur chapelier de tout Paris, précisa-t-elle.

Josef tendit sa main.

— Je peux ? demanda-t-il en approchant ses doigts du chapeau.

— Je vous en prie mais prenez-en soin. J'y tiens beaucoup.

Le psychiatre examina minutieusement l'objet. Quelque peu incrédule, il cherchait une marque ou une étiquette prouvant que ce chapeau provenait bien de l'atelier d'Isaac. Un sentiment de soulagement l'envahit quand il découvrit l'inscription I. Lindbergh dissimulée dans la couture intérieure.

— Que savez-vous de cette famille, madame Marchal ?

— Peu de chose. C'étaient des gens très discrets.

— Vous alliez souvent dans cette boutique ?

— Très régulièrement. C'était toujours Mme Lindbergh qui accueillait les clients. Ensuite, son mari venait prendre les mesures et apporter sa touche créatrice.

— Et leurs enfants, vous les avez déjà vus ?

— Quelquefois, on entendait les garçons jouer dans l'arrière-boutique.

— Et le bébé ? Ils avaient aussi une petite fille.

— Adorable. Une vraie princesse. Je ne l'ai vue qu'une fois.

— C'était quand ? Vous vous en souvenez ?

— Au printemps 1943. Elle n'avait que quelques semaines. Quand je suis revenue à Paris deux mois plus tard, j'ai appris qu'ils avaient été arrêtés.

— Et la petite ? Vous avez entendu quelque chose à son sujet ?

— Malheureusement, je ne pourrai vous être d'un grand secours. J'ai toujours cru qu'elle avait été emmenée, elle aussi. C'est Lida qui m'a appris qu'elle avait échappé à la rafle.

— Savez-vous où ils habitaient ?

— La boutique se trouvait rue de Rivoli. Ils vivaient au-dessus, je crois.

— Merci pour votre aide, madame Marchal.

— Si j'ai pu vous être utile, j'en suis ravie.

— Permettez-moi de vous demander une dernière chose, ajouta Josef Meyer. Si la petite fille des Lindbergh est toujours en vie et si je parviens à la retrouver, accepterez-vous de la rencontrer pour lui montrer les belles choses que fabriquait son papa ?

— J'en serai très heureuse, monsieur Meyer.

— Josef, appelez-moi Josef.

— Eh bien, bonne chance à vous, Josef.

93

Paris, le 15 novembre 1953

Après sa visite à Toulon, Josef Meyer fut retenu à Zurich. Ses obligations à l'hôpital l'avaient forcé à retarder de plusieurs mois son deuxième voyage à Paris. Il avait bien pensé à deux ou trois reprises contacter Simon et Lida pour leur demander d'aller rue de Rivoli à sa place, mais à chaque fois, il s'était ravisé. C'était à lui de le faire. Lui et lui seul devait retrouver Hannah.

Ce matin enfin, il marchait dans les rues de Paris. C'était la deuxième fois qu'il parcourait la rue de Rivoli et toujours aucun chapelier en vue. Yvonne avait indiqué le nom de la rue mais n'avait apporté aucune précision quant au numéro. La boutique des Lindbergh pouvait être n'importe où et manifestement personne n'avait repris l'activité d'Isaac. Espérant que son accent allemand, qu'il tentait tant bien que mal de dissimuler, ne joue pas contre lui, il se résolut à interroger les commerçants du quartier. Au bout d'une dizaine de boutiques, il fallut se rendre à l'évidence. Personne ne se souvenait d'Isaac Lindbergh et de ses chapeaux. Ou plutôt personne n'avait envie de s'en souvenir. Où peut-être que tout le monde s'en souvenait mais personne ne voulait renseigner un Allemand. Les années d'occupation avaient laissé des séquelles et Josef Meyer en faisait les frais. Un peu dépité, il n'avait pourtant pas l'intention d'abandonner. Il pénétra chez un pharmacien, espérant qu'un homme pratiquant un métier si proche des gens serait plus enclin à le renseigner. Malheureusement la réponse fut la même. Aucun souvenir d'un quelconque chapelier dans la rue. Le praticien prit tout de même la peine de le raccompagner jusqu'à la porte de son officine et lui souffla de manière extrêmement polie qu'il ferait mieux de laisser tomber ses recherches.

— Les gens ne veulent plus penser à ce qu'il s'est passé. Laissez-les tranquilles, ils ont trop souffert, ajouta-t-il sur un ton qui se voulait amical.

Josef Meyer attendit d'entendre la porte se refermer derrière lui pour allumer une cigarette. S'il n'avait plus touché à une goutte d'alcool depuis des années, sa consommation de tabac avait, elle, fortement augmenté au cours des derniers mois. Il fit quelques pas en méditant les conseils du pharmacien et s'apprêtait à s'asseoir sur un banc quand une femme âgée d'une quarantaine d'années l'interpella.

— Je les connais, moi... chuchota-t-elle quand elle fut suffisamment proche pour ne pas être entendue.

— Pardon ?

— Excusez-moi. Marguerite Dupont, dit-elle en tendant sa main à l'Allemand. Je vous ai entendu chez le pharmacien, j'étais derrière vous. C'est bien du chapelier Isaac Lindbergh dont il s'agit ?

Meyer acquiesça.

— Sa boutique se trouvait au numéro 77. Juste en face.

Le cœur battant, le médecin leva un regard ému sur la maison qui avait abrité la famille Lindbergh avant que la police ne l'arrête. Il parcourut silencieux la bâtisse élevée sur trois étages. Au rez-de-chaussée, la chapellerie avait laissé place à une cordonnerie. Meyer nota que le nom gravé sur l'enseigne n'avait aucune consonance israélite mais il se garda bien d'en demander confirmation.

— Vous les connaissiez ? questionna-t-il.

— Bien sûr. Nous étions voisins. J'habite au deuxième étage de l'immeuble. Ils vivaient au premier et M. Lindbergh avait sa boutique au rez-de-chaussée. Un artiste, cet homme-là. Si vous aviez vu ce qu'il était capable de faire. Ses chapeaux étaient somptueux.

— Et Sarah, vous la fréquentiez ?

— Il nous arrivait de prendre le thé ensemble pendant que nos enfants jouaient.

— Vous avez des enfants ?

— Cela semble vous surprendre.

— Non, non, excusez-moi, balbutia-t-il. C'est que depuis que je tente de retrouver la trace de cette famille, je n'ai jamais envisagé la possibilité que leurs enfants aient pu jouer avec d'autres.

— C'est pourtant assez fréquent, répondit ironiquement Marguerite.

— Vous avez raison. Quel âge ont vos bambins ?

— J'ai une fille, Jeanne, du même âge qu'Éli et Moshe, et un garçon, Léon, de deux ans leur cadet. Savez-vous qu'ils sont devenus ?

Josef Meyer marqua un temps d'arrêt. Il ne s'attendait pas à cette question. Les gens ont vu leurs voisins partir sans revenir mais difficile pour eux de savoir quels sont ceux qui ont survécu et ceux qui sont partis pour Israël.

— Ils sont morts à Auschwitz.

La femme poussa un léger cri et se signa de la main droite.

— Tous ? osa-t-elle enfin.

— Sauf le bébé, Hannah.

— Savez-vous où elle est maintenant ?

— C'est ce que je cherche à savoir.

L'Allemand raconta toute l'histoire à cette femme encore inconnue quelques minutes plus tôt. La Française l'écouta attentivement sans jamais l'interrompre puis, quand il lui sembla que le récit touchait à sa fin, elle hasarda :

— Vous dites que d'après le journal de Sarah Lindbergh, les enfants auraient pris la fuite par les toits.

— C'est ce qu'elle écrit. Vous avez une idée des toits qu'ils auraient pu choisir?

— Oh oui, fit-elle dans un soupir. Les garçons Lindbergh avaient pour habitude de jouer sur les toits, chose qui rendait Sarah folle de colère. Et moi aussi, d'ailleurs. Jeanne et Léon essayaient de les suivre. Et mon Léon à l'époque, il n'avait pas encore six ans, vous comprenez.

Josef Meyer écarquilla ses yeux.

— Sont-ils retournés sur les toits à la suite de l'arrestation des Lindbergh ?

— Non. Pas à ma connaissance, en tout cas. Je le leur avais formellement interdit.

— Et vous ? Y êtes-vous déjà allée ?

— Moi ? Mon cher monsieur...

— Meyer. Josef Meyer.

— Mon cher monsieur Meyer, je ressens le vertige rien qu'à l'idée de me trouver si haut perchée. Alors pensez donc.

— Connaissez-vous quelqu'un d'autre que les enfants qui grimpaient sur ces toits ? Quelqu'un qui aurait pu trouver Hannah et la sauver.

Marguerite réfléchit un instant.

— Hélas non. Je n'ai d'ailleurs jamais entendu parler d'un bébé que l'on aurait trouvé abandonné sur les toits de l'immeuble voisin.

L'Allemand se tut. Dans sa tête, les idées s'entrechoquaient. Il tentait d'imaginer tout ce qui avait pu arriver à ce bébé laissé seul. Mille fois déjà depuis presque dix ans, il avait envisagé différentes possibilités, mais si proche du toit de l'abandon, tout se mêlait dans son esprit.

— Vous vivez toujours dans cet appartement ? osa-t-il enfin.

— Je ne l'ai jamais quitté.

— Serait-ce abuser de vous demander de me montrer l'accès à ces toits ?

Marguerite sourit et lui indiqua l'entrée de l'immeuble.

— Venez. Je vais nous préparer un thé. Mon fils ne va pas tarder et quand il sera là, il vous guidera.

Une demi-heure plus tard, Josef Meyer montait sur le toit où, dix ans plus tôt, Éli et Moshe avaient abandonné leur petite sœur. En compagnie de Léon, il parcourut plusieurs mètres sur le zinc. Ne sachant où vivaient les parents de Sarah Lindbergh, il lui était impossible d'imaginer la direction prise par les enfants pour rejoindre leurs parents. Meyer s'approcha de chaque cheminée qu'il inspecta avec soin espérant trouver un indice, un signe, un morceau d'étoffe, quelque chose. Mais il n'en fut rien. Qu'espérait-il au juste ? Dix ans après. Au moins, il n'avait pas trouvé de cadavre de bébé. C'était déjà une bonne nouvelle. Même si au bout de tant d'années, il le savait, les restes en auraient depuis longtemps été dispersés au gré du vent. Et puis Mme Dupont lui avait affirmé n'avoir jamais entendu parler d'enfant mort tombé d'un toit. Il pouvait continuer à espérer. Un jour, il retrouvera Hannah Lindbergh.

94

Josef Meyer passa les mois suivants animé par une sorte de frénésie. Toutes les huit semaines, il parvenait à se rendre à Paris où il questionna la quasi-totalité des habitants de la rue de Rivoli. Il entra aussi chez tous les commerçants sans oublier la cordonnerie qui avait succédé à la chapellerie d'Isaac. Il espérait que dans un coin de la remise, le cordonnier aurait conservé quelques documents ayant appartenu à son prédécesseur. Cependant l'artisan se montra particulièrement désagréable et peu enclin à parler de la chapellerie. Le médecin comprit vite qu'il n'avait rien à espérer de cet homme mais ne put retenir la question qui mit définitivement fin à la conversation :

— À qui avez-vous acheté le commerce des Lindbergh ?

En quelques secondes, l'homme le jeta hors de sa boutique, lui ordonnant de ne jamais revenir.

— Vous vous l'êtes appropriée, n'est-ce pas ? cria Meyer à travers la vitre en ramassant sa sacoche dans le caniveau. Ça s'appelle du vol, ça, monsieur ! Du vol ! On devrait vous poursuivre pour ça !

Heureusement, l'épisode n'entama pas la détermination de l'Allemand. Bien au contraire. Il continua ses recherches qu'il étendit aux rues adjacentes. Il fit également le tour des synagogues espérant rencontrer de la famille, un ami, une relation des Lindbergh. Régulièrement, il retournait rendre visite à Marguerite et remontait sur ce toit où il s'asseyait durant plusieurs heures. Revigoré, il reprenait ensuite sa route. Meyer était habité par une volonté et une agitation que rien ne semblait pouvoir arrêter. Il était comme possédé. Dans ses moments les plus optimistes, il imaginait même qu'au hasard de ses investigations, il tomberait sur Hannah et sa famille adoptive.

Son énergie se fit ressentir jusqu'à la clinique où il fit preuve de plus de dynamisme et d'envie de réussir qu'il n'en avait eu jusque-là. Ses collègues le trouvèrent changé tandis que ses étudiants se passionnaient un peu plus chaque jour pour les enrichissants échanges qu'il dirigeait dans le grand amphithéâtre. Josef Meyer était métamorphosé. L'individu faible et lâche qu'il avait été la majeure partie de sa vie avait progressivement laissé place à un homme engagé et courageux. Tant avec ses patients qu'avec ses étudiants, il avait appris à utiliser ses compétences et ses diverses expériences pour faire le bien autour de lui. Ce changement spectaculaire, il le devait à Sarah et à aucun instant il ne l'oubliait. Très vite ses résultats firent parler de lui bien au-delà des frontières et il reçut d'intéressantes propositions de collaboration venant des États-Unis. Il les déclina toutes. Hannah pouvait être n'importe où mais tant qu'il n'avait pas la certitude qu'elle avait quitté la France, il ne souhaitait pas s'en éloigner.

En janvier 1956, il fit son premier voyage en Israël. Depuis sa création au lendemain de la guerre, le nouvel État accueillait chaque jour de nouveaux immigrants juifs. Cette première visite ne donna rien. Sa nationalité suscita tant de méfiance et de suspicion qu'aucun organisme ou administration n'accepta de le renseigner. À son retour à Zurich, une lettre de France l'attendait. Il comprit d'emblée que son contenu serait déterminant pour la suite de ses recherches. Il ne prit même pas la peine d'ôter son manteau et décacheta l'enveloppe si soigneusement refermée par Marguerite.

« Paris, le 27 janvier 1956

Mon cher Josef,

J'ai cet après-midi longuement discuté avec une de mes relations de l'affaire qui nous concerne. Cette amie, dont je tairai le nom par courtoisie, m'a raconté l'extraordinaire histoire d'un enfant de seize ans. Figurez-vous que le destin de ce jeune garçon ressemble fort à celui de la petite Lindbergh. À l'été 1942, il se trouve avec ses parents au Vel d'Hiv au moment de la rafle. Il n'a alors que deux ans. À cette époque, plusieurs organisations juives s'attachaient à sortir les enfants des centres d'internement pour les mener dans des endroits sûrs. C'est ce qui lui est arrivé. Arraché du vélodrome par je ne sais quel miracle avant le départ des convois vers Auschwitz, il est ensuite pris en charge par l'Union des Femmes Juives (une organisation qui avait pour tâche de trouver des endroits sûrs hors de Paris). C'est ainsi qu'il sera placé chez une nourrice en Suisse et sauvé du massacre.

Vous devez certainement vous demander quel rapport avec notre affaire. Eh bien, écoutez attentivement la suite. Figurez-vous qu'à la fin de la guerre, la mère de ce garçon est libérée du camp et revient à Paris. Après avoir vérifié que son nom ne figurait pas parmi les morts, elle se met à la recherche de son fils. Comme vous, elle a d'abord fait le tour de ses anciens voisins et relations mais très vite, elle s'est rapprochée des différentes organisations de résistance juive. Quelques mois plus tard, elle trouve grâce à eux le nom de son fils sur la liste des enfants envoyés dans une maison près de Genève. Elle part le chercher et tous deux émigrent en Israël. N'est-ce pas touchant ?

Si je tenais tant à vous narrer cette histoire, mon cher Josef, c'est avant tout pour vous encourager à poursuivre vos efforts mais aussi pour vous suggérer d'élargir vos recherches aux organisations juives. Beaucoup de maisons ont été ouvertes à cette époque pour sauver des enfants juifs de la Gestapo. Si quelqu'un a trouvé Hannah sur le toit, il y a de grandes chances pour que cette personne se soit ensuite tournée vers un organisme de sauvetage. À moins qu'elle ait décidé de garder l'enfant et de l'élever elle-même. Quoi qu'il en soit vous conviendrez, je pense, que la piste des maisons d'enfants mérite d'être approfondie.

Dans l'attente de vos nouvelles,

Bien à vous,

Marguerite Dupont. »

Josef Meyer déposa la lettre sur la table et ressortit immédiatement de chez lui. Il héla un taxi et se fit conduire au Burghölzli. Eduard Stein sortait juste de conférence quand il aperçut son collègue pénétrer dans la clinique.

— Déjà de retour ? Nous ne t'attendions que demain !

— Ah Eduard ! Tu es là. C'est toi que je venais voir.

— Ton voyage en Israël s'est bien passé ?

— Très bien, je te remercie. Mais ce n'est pas de cela que je voulais te parler.

— Je t'écoute.

— Viens. Allons à la cafétéria, j'ai grand besoin d'un café.

— Tu as raison, ça me fera du bien aussi. Je suis là depuis cinq heures, ce matin et une petite pause sera la bienvenue.

— As-tu entendu parler des maisons d'enfants ?

— Des maisons d'enfants ?

— Celles qui s'occupaient des enfants juifs dont les parents avaient été déportés.

— Oui effectivement, j'ai entendu parler de ça.

— J'aurais besoin d'informations sur ce sujet.

— Quel genre d'informations veux-tu ?

— Tout ce que tu pourras trouver. Le nom des organisations. Ceux qui s'en occupaient. Où elles étaient ? Existent-elles encore ?

— Mais comment veux-tu que je sache tout ça ?

— Je sais qu'il existait des maisons de ce genre ici en Suisse. Comme tu vivais déjà là au moment de la guerre, j'espérais que tu pourrais avoir des connaissances sur ce sujet. Peut-être des relations ?

— Écoute, Josef, si j'avais su quoi que ce soit susceptible de t'aider dans tes recherches, je t'en aurais parlé depuis belle lurette. J'ai fui l'Allemagne en trente-trois pour sauver ma peau et celle de ma famille. Pendant la guerre, je n'ai participé à aucun acte de résistance pour lutter contre le nazisme. Je me suis contenté de me cacher et d'essayer de survivre. C'est tout. Je ne suis pas un héros, tu sais.

Meyer baissa la tête, gêné par les confidences de son ami.

— Excuse-moi Eduard. Je ne voulais pas...

— Je vais me renseigner. Ma femme a peut-être dans ses connaissances quelqu'un qui a approché de près ou de loin ces réseaux de sauvetage. Je te tiens au courant.

95

Paris, le 11 février 1956

Au 117 rue du Faubourg-du-temple, Josef Meyer fut reçu par un homme d'âge mûr à qui il raconta toute l'histoire de A-71935.

— Je m'appelle Paul. Venez avec moi, dit-il gentiment avant même que l'Allemand ne lui pose de questions.

Il l'emmena jusqu'à une salle où il lui offrit un café bien chaud. Engagé dans l'OSE[1] bien avant la déclaration de guerre, Paul connaissait l'organisation mieux que personne. Dès 1941, il avait participé à l'extraction des enfants des centres d'internement et à la multiplication des lieux de vie. Ces enfants juifs n'ayant plus le droit de fréquenter les écoles, parcs ou autres lieux publics, l'OSE s'était attachée à leur en créer de nouveaux afin qu'ils continuent à avoir une vie sociale.

— Je les arrachais aux centres et Simon les mettait à l'abri.

— Où les amenait-il ?

— Au début, nous les installions dans des châteaux en province. La priorité était de leur faire quitter la région parisienne. Mais ensuite, tout s'est accéléré. Dès le

---

1. Œuvre de Secours aux Enfants. Association juive créée en 1912. Durant la seconde guerre mondiale, cette association a sauvé plus de 5 000 enfants et a accueilli les orphelins survivants aux camps.

printemps 1942, notre mission s'est transformée en résistance humanitaire. Nous avons ouvert des centres un peu partout : Limoges, Nice, Megève, Pau et tant d'autres.

— Où trouviez-vous l'argent pour faire vivre ces maisons ?

— Notre branche de Genève distribuait l'argent nécessaire.

— Pourriez-vous me fournir une liste de ces maisons et châteaux qui ont accueilli ces enfants ?

— Bien sûr. Je n'aurai qu'à consulter les listes que nous avons soigneusement conservées.

Paul se leva et se dirigea vers une commode d'où il tira plusieurs grosses chemises cartonnées. Il s'installa à une table et invita Meyer à le rejoindre.

— Tenez, lui dit-il en lui tendant quelques dossiers. À deux, nous irons plus vite.

Les deux hommes commencèrent à éplucher les archives de l'OSE. L'Allemand découvrit avec stupéfaction l'ampleur de l'organisation qui avait réussi à sauver nombre d'enfants de la folie du grand Reich. Il eut une pensée pour ces hommes et ces femmes qui avaient risqué leur vie pour en sauver d'autres. Ismaël, sept ans, Marie, six ans, François, neuf ans, David, huit ans, Élie, cinq ans, Rachel, sept ans. Sous chaque prénom était inscrit le nom d'une ville. « Que sont devenus tous ces enfants ? ne put s'empêcher de penser Meyer. Ont-ils retrouvé leurs parents ou un membre de leurs familles ? » À chaque fois qu'il tombait sur une petite fille prénommée Hannah le rythme de son cœur s'accélérait d'un coup, avant de ralentir aussi vite à la lecture de l'âge qui ne correspondait pas. Au bout d'une heure, Paul déposa ses lunettes sur la table et proposa à l'Allemand de faire une pause. Les deux hommes se rendirent au café du coin de la rue où ils s'attablèrent dans le fond de la salle. Paul semblait y avoir ses habitudes. Midi approchant, ils commandèrent deux falafels accompagnés d'une bouteille de vin rouge. Meyer laissa Paul remplir son verre mais n'y toucha pas. Un seul écart risquait d'anéantir les efforts de ses années d'abstinence et, si près du but, il n'en était pas question.

— Depuis tout à l'heure, nous cherchons une Hannah Lindbergh dans les registres mais elle pourrait nous avoir été adressée sous une autre identité.

— C'est possible en effet, répondit l'Allemand pensif.

— Surtout si elle a été trouvée sur un toit. La personne qui l'a secourue ne pouvait pas connaître son nom. Et puis un bébé, ça ne parle pas.

— Il y a sa layette. Dans son journal, sa mère fait allusion à un linge qu'elle aurait fait broder pour sa fille. Tout mon espoir se trouve dans cette layette. J'ai tourné et retourné des centaines de fois ce problème d'identité dans ma tête et je ne peux pour l'instant me résoudre à l'éventualité d'un changement de patronyme. Pas encore. Pas avant d'avoir exploré toutes les pistes pour retrouver une Hannah Lindbergh âgée de quelques mois durant l'été 1943.

— Très bien, lança Paul. Alors nous continuerons à éplucher ces fichus registres.

Meyer sourit et leva son verre comme pour sceller un pacte d'assistance qu'il aurait conclu avec ce membre de l'OSE. Il reposa le vin sans l'avoir porté à ses lèvres et goûta au plat que le serveur venait de déposer devant lui.

Chacun en proie à des réflexions diverses, les deux hommes terminèrent leurs falafels sans échanger un mot. Ils commandèrent ensuite deux cafés et Meyer régla la note. Les deux hommes firent quelques pas avant de retourner au 117 rue du Faubourg-du-temple.

— Mais dites-moi, vous ne m'avez pas dit que votre petite a disparu au printemps 1943 ? demanda subitement Paul.

— Sa famille a été arrêtée le 15 mai 1943.

— Alors il faut que je vous parle du circuit Garel.

— Le circuit Garel ?

— Un réseau clandestin d'enfants mis en place au printemps 1943 par Georges Garel.

— Qui est ce Georges Garel ?

— Entre nous, nous l'appelons Gasquet. Avec l'aide d'assistantes sociales, il a permis à de nombreux petits de gagner ces maisons tout en maintenant des relations avec leurs familles. Depuis Lyon, il coordonnait tous les moyens techniques pour l'évacuation des enfants vers la Suisse. De la fabrication des faux papiers jusqu'au mode de convoyage en passant par les tenues vestimentaires, il gérait tout d'une main de maître et s'occupait lui-même des liaisons avec les autres organisations.

— Vous pensez que pour ma petite Hannah, c'est plutôt de ce côté que je devrais chercher ?

— Aucune piste n'est à négliger mais si la petite nous a été amenée en mai 1943, il y a de fortes chances pour qu'elle ait emprunté ce circuit.

— Si c'est le cas, c'est votre ami Simon qui se serait chargé de son évacuation.

— C'est probable, en effet.

— Pensez-vous qu'il accepterait de me rencontrer ?

Le visage de Paul s'assombrit d'un coup et il sembla avoir du mal à trouver ses mots.

— Simon s'est fait arrêter au mois de septembre 1944. Il a été déporté vers Auschwitz et n'en est jamais revenu, dit-il enfin.

— Je... je suis désolé, balbutia le médecin.

Paul retint une larme au coin de son œil.

— Rentrez à Zurich, je vais rechercher dans nos archives et tenter de me procurer celles du circuit Garel. Dès que j'aurai trouvé quelque chose, je vous l'envoie.

— Je ne sais comment...

— Simon aurait été heureux d'apporter sa contribution dans cette recherche, si désespérée soit-elle. Ce n'est pas seulement pour vous ou pour la petite, c'est aussi pour honorer sa mémoire que je tiens à vous aider.

96

De retour à Zurich, Josef Meyer ne tenait plus en place. Chaque jour, il attendait frénétiquement le passage du facteur, espérant recevoir une lettre de Paul lui annonçant une piste sérieuse pour se lancer sur les traces d'Hannah. Il compensa ces interminables heures d'attente par une activité accrue à la clinique. Après ses cours et ses consultations, il recevait souvent quelques-uns de ses étudiants curieux d'en apprendre toujours plus de leur professeur. Il accepta aussi de collaborer aux recherches d'Eduard. Depuis de nombreuses années, son ami s'était spécialisé dans la recherche sur les mécanismes de la folie. Il cherchait à savoir si le phénomène était programmé dès la naissance dans le cerveau humain ou si tous les individus, à la suite d'un événement particulier de leur vie, étaient susceptibles de basculer. Jusqu'à cette année 1956, bien qu'il s'y soit toujours intéressé, Josef Meyer n'avait jamais participé au travail de son confrère. Mais à ce moment précis de sa vie, il avait besoin d'activité. À la clinique, il se fit aménager un espace dédié à ses recherches. Il avait jadis rédigé une thèse sur les échanges électriques au niveau du cortex et décida de reprendre ses investigations dans ce domaine. Il entreprit la comparaison des échanges électriques du cortex de ses malades avec ceux des membres de leurs familles et ceux de sujets sains n'ayant aucune personne atteinte de folie dans leur entourage proche. Cette nouvelle collaboration conduisit Eduard et Josef à passer beaucoup de temps ensemble et leurs liens déjà forts en furent renforcés. Quand ils n'étaient pas à la clinique, ils se recevaient régulièrement pour des dîners au cours desquels ils ne manquaient pas d'évoquer leurs recherches. Eduard de son côté restait très impliqué dans les investigations menées par son ami pour retrouver Hannah, l'enfant juive. Il avait personnellement contacté d'anciens membres de la branche de l'OSE de Genève mais sans grand résultat. Pour Josef Meyer, l'enquête piétinait et il commençait à sérieusement envisager la possibilité de ne jamais retrouver les traces de la fillette.

L'année 1956 s'acheva, cédant la place à 1957 et toujours pas de nouvelles de Paul. À plusieurs reprises, Meyer avait été tenté de retourner le voir mais le Français avait promis de lui faire signe dès qu'il aurait du nouveau. Alors il patientait. Quand le mois de février arriva, Josef Meyer vit s'envoler les derniers espoirs qu'il avait mis en Paul mais il n'était pas encore question d'abandonner. Il chercha de nouvelles pistes et pensa à un moment lancer un avis de recherche au moyen d'affiches placardées chez les commerçants du quartier où Hannah avait disparu mais il dut très vite se raviser. Ces gens qui, quelques années plus tôt, avaient refusé de parler lorsqu'il leur avait rendu visite ne colleraient probablement pas son avis de recherche sur leur devanture. Alors que faire, si ce n'était attendre un signe du destin ?

Deux mois plus tard, la patience de Josef Meyer fut enfin récompensée. Un soir en rentrant chez lui après une folle journée passée à la clinique, il trouva une grosse enveloppe dans sa boîte aux lettres. Il la décacheta avant même d'avoir pénétré dans son appartement.

« *Paris, le 11 mai 1957*
Cher Josef,
Vous trouverez sous ce pli la copie des archives de l'OSE et du circuit Garel. Je vous joins également la liste des maisons d'enfants en France entre 1943 et 1945 ainsi que le nom des personnes qui en assuraient le fonctionnement. Je n'ai malheureusement pas trouvé de trace de Hannah Lindbergh. Peut-être aurez-vous plus de chance que moi. En tout cas, je vous le souhaite.
Bien cordialement,
Votre dévoué,
Paul Bernard. »

97

Le lendemain, Josef Meyer prit le train pour Paris. Cette liste de maisons envoyée par Paul constituait son dernier espoir de retrouver Hannah et il n'avait nullement l'intention de passer à côté. Avant de se rendre à la gare, il fit un crochet par la clinique où il déposa à l'attention d'Eduard un petit mot rédigé à la va-vite.

« Zurich, le 12 mai 1957
Mon cher Eduard,
Je pars ce matin pour la France visiter les différents endroits susceptibles d'avoir pour un temps hébergé Hannah Lindbergh. Mon ami Paul de l'OSE dont je t'ai parlé à plusieurs reprises m'a obtenu des informations qui, je l'espère, me permettront d'y voir plus clair.
Je suis conscient des difficultés que mon absence engendrera à la clinique et je te prie de bien vouloir m'en excuser. Je ne manquerai pas de te tenir informé de l'avancement de mes investigations et de ma date de retour.
Mes amitiés à ton épouse,
Josef. »

À peine arrivé à Paris, Meyer se rendit chez Marguerite. Il lui fit part des informations fournies par Paul et s'enquit des nouvelles de la rue de Rivoli. L'Allemand était convaincu que si Hannah avait été secourue par une connaissance de la famille Lindbergh, elle reviendrait un jour dans l'appartement familial. Pour revendiquer ses droits ou simplement retrouver ses racines. Mais elle reviendrait, c'est certain. Et Marguerite serait aux premières loges.

Il prit congé aux alentours de dix-huit heures. À la gare, il récupéra ses bagages laissés à la consigne et acheta un sandwich jambon beurre avant de se rendre à son hôtel. Jusqu'à tard dans la nuit, il y étudia la liste donnée par Paul afin de procéder avec le plus de logique possible. Il relut ensuite pour la énième fois le carnet de Sarah Lindbergh. Principalement les lignes où elle évoquait sa vie avant son arrestation. Bien qu'il connût ces passages quasiment par cœur, il espérait y déceler un détail qui, jusque-là, lui aurait échappé. Ensuite, il regarda longuement la photo de Sarah avec sa famille. Il pensait qu'Hannah devait ressembler à sa mère et tentait de s'imprégner des traits de cette femme pour reconnaître la fillette s'il venait à la croiser.

Le lendemain matin, il rendit visite à une certaine Jeanne Auvert. Cette assistante sociale assurait l'accueil des enfants à Rambouillet. La femme au regard dur et sévère se radoucit quand elle apprit que Paul Bernard l'avait envoyé à elle. Elle écouta l'Allemand lui raconter l'histoire de cette famille juive victime de la folie des hommes et de leur machine à tuer mais ne put apporter aucune information susceptible d'aider à retrouver la fillette.

Josef Meyer la remercia pour son écoute et se fit appeler un taxi. Pendant que le chauffeur le menait chez la seconde personne de sa liste, Antoine Wessel, il raya le nom de Jeanne Auvert. Pour Josef Meyer commençait une longue période durant laquelle son moral devait quotidiennement osciller entre espoir extrême et profonde déception. Il rencontra dans un premier temps toutes les personnes membres de l'OSE mentionnées par Paul sur la région parisienne. Par pur mysticisme, il se rendit également sur les tombes de celles qui étaient décédées et quand il eut fait le tour des adresses parisiennes, il prit la direction de la Sarthe où de nombreux centres avaient abrité et protégé les enfants pendant la guerre.

Partout il racontait l'histoire de la famille Lindbergh et montrait l'unique photo qu'il possédait mais, à chaque fois, la réponse était la même. Personne n'avait vu la fillette. Après la Sarthe, il se rendit à Lyon, puis Nice, Megève et visita jusqu'au plus petit village ayant participé de près ou de loin au sauvetage de ces enfants juifs. Il suivit également la piste du réseau Garel mentionné par Paul et alla jusqu'à Genève rencontrer les anciens dirigeants de la branche suisse de l'OSE. Au printemps 1960, il avait fait le tour de ce qu'il appelait la liste de la dernière chance et dut se rendre à l'évidence : jamais il ne retrouverait Hannah Lindbergh. Il retourna à Zurich et, grâce à l'aide et au soutien de son ami Eduard, reprit ses activités à la clinique.

98

Durant les deux années suivantes, il continua à rendre visite à Marguerite, même si au fil des mois les voyages s'espacèrent et, autant le dire, se raréfièrent. Il n'avait plus le goût à grand-chose et au grand dam d'Eduard refusa de reprendre ses recherches sur le cerveau humain. À la clinique, Josef Meyer ne suscitait plus le même intérêt qu'auparavant. Sa profonde apathie avait réussi à faire fuir bon nombre de ses étudiants réduisant chaque mois un plus la fréquence de ses conférences, dans le grand amphithéâtre. Doucement, Josef Meyer s'enfonçait dans la dépression. Depuis la disparition de sa famille, la recherche d'Hannah avait constitué son unique raison de vivre. Perdre tout espoir de la retrouver lui ôtait toute envie d'exister. Il suivit sans grand intérêt l'arrestation d'Adolf Eichmann en Argentine. Cette figure nazie s'y était réfugiée à la fin de la guerre sous une fausse identité. Traqué par le Mossad, il avait fini par se faire démasquer puis transférer en Israël pour y être jugé. Il fut pendu le 31 mai 1962. La nouvelle laissa Meyer indifférent.

Un soir de profonde déprime, il s'attarda dans un bar du quartier chaud de Zurich. Après tant d'années d'abstinence, le premier verre de cognac qui coula le long de son gosier provoqua un plaisir proche de la jouissance. Il en commanda un second, puis un troisième et ainsi jusqu'à la fermeture du bar. Il titubait tant à sa sortie qu'aucun taxi n'accepta de le charger de peur qu'il ne vienne souiller les sièges de leur voiture. Cette soirée fut la première d'une longue série. Josef Meyer avait replongé. Rapidement, il devint évident pour toutes les personnes le côtoyant que le brillant médecin, le professeur adulé n'était plus que l'ombre de lui-même. Son alcoolisme ne faisait de doute pour personne et sa présence à la clinique commença à être vivement contestée. Cette fois l'intervention d'Eduard ne fut d'aucun secours. On demanda à Meyer de quitter son poste et de se soigner. La descente aux enfers s'accéléra. Il buvait chaque jour un peu plus, fréquentait les bars et les prostituées et semblait attendre que son heure arrive.

Après de nombreuses tentatives infructueuses pour aider son ami à sortir la tête de l'eau, Eduard parvint à convaincre Josef de l'accompagner à Berlin. Sobre. Le message était clair. Pas une seule goutte d'alcool durant les trois jours du voyage. Nous étions au printemps 1963 et, en tant qu'éminent psychiatre, Eduard Stein savait que pour guérir son collègue de son addiction, il fallait le ramener à l'origine du problème. Dans son cas précis, c'était à Berlin vingt ans auparavant. Meyer se sentait coupable d'avoir abandonné sa famille pour aller à Auschwitz mettre ses compétences au service d'une des plus grandes abominations que le monde ait connues. Les disparitions de sa fille d'abord, et de sa femme ensuite, n'avaient fait qu'amplifier ce pesant sentiment de culpabilité.

Retrouver Berlin après tant d'années fut chose surprenante pour les deux expatriés. La ville avait bien changé depuis l'armistice. Séparées par un mur gigantesque, deux parties appartenant à deux nations hostiles se partageaient l'espace de l'ancienne capitale du Reich. La libre circulation n'était possible que dans la zone ouest ; l'autre, sous le joug soviétique, demeurait interdite. Par chance le cimetière dans lequel étaient inhumées Lily et Angela leur restait accessible. Eduard se laissa guider jusqu'au caveau des Meyer. Bien qu'il n'y soit jamais retourné depuis son départ, Josef se souvenait parfaitement de son emplacement. Avec une émotion mal dissimulée, il se recueillit sur la tombe laissée à l'abandon. Aucune fleur pour orner la pierre noircie par les années. Seule la petite plaque portant la photo de sa Lily adorée était toujours là. Son épouse l'avait fait graver peu de temps après son décès. Pour Angela, lui, n'avait été capable que d'une éphémère couronne. Josef laissa couler quelques larmes mais ne s'effondra pas comme Eduard l'avait imaginé. Pour la première fois depuis bien longtemps, il était digne. Il fallut attendre le soir, après le dîner, pour que Josef laisse enfin sortir toute la culpabilité enfouie au plus profond de son être. Eduard le laissa parler, l'écouta comme un médecin et non plus comme l'ami qu'il était avant de le raccompagner jusqu'à sa chambre. Ce moment fut de loin le plus compliqué. Josef usa de mille stratagèmes pour faire un détour par le bar. « Juste un petit remontant... » implora-t-il. Mais Eduard sut rester ferme et Josef demeura sobre jusque dans son lit. Avant de le quitter, Eduard lui administra un sédatif pour lui permettre de s'endormir sans trop ressentir les effets du manque.

Le lendemain, les deux hommes parcoururent la ville sur les traces du passé de Josef. Appartement, hôpital, université, restaurant, théâtre, Eduard l'incita à retourner partout où autrefois il avait été heureux. Malgré l'imposant mur de pierre qui, au détour des rues, venait parfois stopper son élan, ce pèlerinage sembla faire du bien à Josef Meyer.

Trois jours après, dans le train qui les ramenait à Zurich, les deux hommes purent s'entretenir comme ils ne l'avaient plus fait depuis des mois. Eduard était heureux de retrouver l'ami qu'il craignait avoir définitivement perdu. Il avait réussi. Josef n'avait pas avalé une seule goutte d'alcool depuis trois jours. Pourtant rien n'était gagné. Il restait Hannah. Sans elle, il replongerait, c'était inévitable. Elle était son seul salut, son unique raison de vivre.

99

Le temps de l'aider à trouver un nouveau sens à sa vie, les Stein proposèrent à Josef Meyer de s'installer chez eux. Seul dans son appartement, Eduard ne lui donnait pas deux jours avant de reprendre un verre de cognac. Alors il avait insisté, lourdement, et Josef avait fini par accepter. Il ne prit que peu d'affaires et à la demande d'Abigail, l'épouse d'Eduard, il accepta d'apporter le gros carton dans lequel il conservait tous les documents relatifs à Hannah. Il contenait bien sûr le fameux carnet A-71935 et la photographie de la famille Lindbergh, mais aussi les adresses fournies par Paul, les lettres de Madeleine et les comptes rendus ou hypothèses rédigés à la suite de chacun de ses voyages. Absolument tout y était consigné. Alors qu'Eduard veillait à ce que Josef demeure sobre, Abigail s'efforçait de lui donner envie de reprendre ses investigations. Elle tirait régulièrement un nouveau document du fameux carton et posait ensuite des questions visant à le faire réagir. Jour après jour, les Stein parvinrent à faire renaître leur ami. Josef Meyer recommença à croire et à espérer.

C'est à ce moment précis que la visite eut lieu. Il devait être un peu plus de quatre heures ce matin-là quand Josef Meyer émergea en sueur. Sous sa poitrine, son cœur frappait si fort qu'il semblait vouloir sortir. Elle était venue.

Elle lui avait parlé. Sarah Lindbergh s'était présentée à lui. Il attrapa ses lunettes posées sur son chevet, enfila un peignoir et sortit sur le balcon. Sous la lune bienveillante, la ville dormait encore. Il alluma une cigarette qu'il fuma en quelques bouffées seulement. Il en sortit une seconde et sentit enfin son cœur se calmer. Elle lui avait rendu visite. Cette nuit durant son sommeil, elle lui avait parlé. Posément, comme à quelqu'un à qui on aurait confié son avenir, elle n'avait prononcé que quelques mots : « 36 rue Amelot. » Puis elle lui avait souri avant de disparaître telle une fée.

Le lendemain, Josef Meyer écrivit une longue lettre à Marguerite Dupont. Il ne fit aucune allusion à sa visite nocturne mais lui demanda d'aller voir au 36 rue Amelot. De peur qu'il ne l'interne pour de bon, Josef ne parla pas de sa nuit à Eduard. Quelques jours plus tard, il émit l'idée de retourner en France très prochainement. Abigail proposa de l'accompagner mais il refusa. Il avait assez abusé de leur gentillesse.

100

Au 36 rue Amelot, il n'y avait plus rien. L'adresse fut durant la guerre le siège d'une organisation de résistance à laquelle Paul avait fait allusion quelques années auparavant. Pour le sauvetage des enfants, ils avaient souvent agi ensemble à l'époque, lui avait-il dit, cependant Meyer ne se souvenait pas avoir rencontré qui que ce soit ayant œuvré à ce numéro. Pourquoi jusque-là avait-il négligé cette information ? Il n'aurait su le dire mais il s'en voulait. En venant plus tôt, il aurait peut-être trouvé quelqu'un pour le renseigner, mais là, presque vingt ans après, l'organisation n'y siégeait plus et avait laissé place à des habitations. Il sonna au hasard, espérant tomber sur un ancien résistant susceptible de lui parler des activités du 36 rue Amelot sous l'Occupation. C'est une femme qui ouvrit. Une certaine Martha Wizman. Non sans méfiance, elle entrebâilla la porte. De taille moyenne, elle portait ses cheveux noirs relevés en chignon et semblait avoir entre quarante et cinquante ans. L'accent allemand la maintint d'abord sur ses gardes mais elle sembla se détendre quand il mentionna l'organisation qui avait tant compté dans sa vie. Elle le fit entrer et l'invita à lui expliquer les raisons de sa venue. Ses yeux ébène pétillèrent d'intérêt au fur et à mesure que Josef avançait dans son récit. Elle posa quelques questions sur Sarah et semblait intriguée par la façon dont l'Allemand s'était procuré ce carnet. Cependant, quand Josef lui tendit la photographie de la famille Lindbergh, elle n'y jeta qu'un regard furtif. Elle se leva alors si brusquement que Meyer en fut presque choqué, elle l'invita à partir.

— Vous perdez votre temps, cher monsieur. Même si ce bébé nous a été confié, personne ne sait où il se trouve aujourd'hui. À supposer qu'il ait survécu, bien entendu. Ce qui est peu probable, vous devez bien l'admettre.

Josef eut le temps de balbutier quelques mots avant qu'elle ne referme brutalement sa porte derrière lui. Il resta quelques instants sur le seuil, ébahi par la soudaine agressivité de cette femme, puis sonna sans succès aux autres portes. Sur le chemin qui le menait chez Marguerite, il s'interrogea sur Martha Wizman et son étrange attitude.

Ce voyage à Paris ne lui apprit rien de plus sur la petite Lindbergh. De retour à Zurich, il repensa souvent à la nuit où Sarah lui avait parlé du 36 rue Amelot. Pourquoi était-elle venue le trouver ? Et pour lui dire quoi ? Il n'y avait plus rien à cette adresse, il l'avait vérifié lui-même.

Au grand dam de Josef, Sarah ne revint plus troubler son sommeil et, les années passant, il finit par accepter l'idée qu'elle n'était jamais venue. Il avait rêvé, tout simplement. Cette adresse, il l'avait probablement lue sur une des listes de Paul sans lui prêter attention et le détail lui serait revenu durant cette fameuse nuit. Peu importait d'ailleurs, l'information ne lui avait été d'aucun secours.

Avec l'aide d'Eduard et Abigail Stein, il avait lentement repris pied dans l'existence. Il ne retourna plus à la clinique mais, de temps à autre, continuait à voir certains de ses anciens étudiants avec qui il aimait discourir des mystères de l'esprit humain. Il rangea définitivement le carton contenant les documents amassés durant sa quête de la petite Lindbergh. Il avait accepté l'idée qu'il ne saurait probablement jamais ce qu'elle était devenue.

En cette fin d'année 1967, alors qu'il s'apprêtait à fêter son cinquante-huitième anniversaire, il se sentait apaisé. Il s'occupait désormais d'un orphelinat et avait le sentiment d'être, au moins pour un temps, en paix avec lui-même.

101

— Allô Josef ? C'est Madeleine.

— Madeleine ?

— Oui, Madeleine Dupont.

— Bien sûr, je vous avais reconnue, mais que se passe-t-il ? Pourquoi m'appelez-vous à une heure si tardive ?

— C'est qu'elle est venue, Josef !

— Comment ça, elle est venue ? De qui parlez-vous ?

— Mais de la petite Lindbergh, pardi !

— Hannah ? s'exclama Josef en se laissant tomber sur une chaise. Vous en êtes sûre ?

— Certaine. Le portrait de sa mère. J'ai cru voir un fantôme tant elle lui ressemble.

Meyer n'en croyait pas ses oreilles. Il mit quelques instants avant de pouvoir à nouveau articuler un mot.

— Vous lui avez parlé ?

— Non. Mais je sais où elle habite, je l'ai suivie.

— Suivie ?

— Nous étions en train de dîner quand j'ai remarqué quelqu'un aller et venir en bas de l'immeuble. Cette présence nocturne m'a inquiétée et je me suis approchée de la fenêtre. Cachée derrière mon rideau, j'ai pu voir la silhouette s'attarder près de la devanture de la cordonnerie avant de se reculer jusqu'au trottoir d'en face. Là, le visage éclairé par un lampadaire, je l'ai tout de suite reconnue. Elle est aussi belle que sa mère en un peu plus grande peut-être.

— Mais pourquoi ne pas l'avoir abordée ? demanda Meyer.

— Elle regardait fixement la toiture et je n'ai pas voulu la déranger. Elle souhaitait visiblement se recueillir à l'endroit où elle avait été trouvée bébé et, pour être honnête, j'ai eu peur de la faire fuir.

— Vous disiez l'avoir suivie. Où est-elle allée ensuite ?

— Eh bien, je vous le donne en mille !

— Madeleine enfin ! L'heure n'est pas aux devinettes !

— Au 36 rue Amelot.

— Pardon ?

— Comme je vous le dis.

Meyer fit un bond de sa chaise.

— Madeleine, je prends le premier train pour Paris, demain matin ! Reposez-vous bien, j'aurai besoin de votre aide.

102

Quand il sonna au 36 rue Amelot, Josef Meyer tremblait comme un enfant. Comme plusieurs années auparavant, c'est Martha qui ouvrit. Elle reconnut instantanément l'Allemand et voulut refermer sa porte mais il la retint.

— S'il vous plaît. Je voudrais juste lui parler de sa mère, dit-il gentiment.

Martha céda et le fit entrer. À l'affût du moindre bruit, Meyer cherchait Hannah du regard. Ses yeux semblaient vouloir transpercer les murs.

— Elle n'est pas là, dit enfin Martha. Repartie pour New York ce matin.

Josef ne cacha pas sa déception.

— Pourquoi ne m'avez-vous rien dit, il y a quatre ans ?

— Pour la protéger. Comme je le fais depuis bientôt vingt-cinq ans.

— C'est vous qui l'avez trouvée ?

Martha fit un signe d'approbation et l'invita à s'asseoir. La gorge serrée, elle eut du mal à articuler.

— Je m'appelle Martha Wizman depuis que David m'a épousée à la fin de la guerre, mais mon nom de naissance est Lindbergh. Je suis la sœur d'Isaac, monsieur Meyer.

L'Allemand resta bouche bée.

— Quand j'ai appris que mon frère s'était fait arrêter au printemps 1943, je me suis effondrée. Nous avions perdu nos parents jeunes et comme il était de dix ans mon aîné, il avait toujours su veiller sur moi. Sans lui, je me suis tout de suite sentie perdue. Alors, malgré le risque et les protestations de mes amis, je suis allée à Drancy et j'ai cherché à voir Isaac. Je suis restée deux jours à observer les allées et venues, espérant trouver un moyen de faire sortir mon frère. Je n'ai pas réussi à le trouver mais j'ai pu avoir accès aux listes des prisonniers. Le nom d'Isaac figurait sur la quatrième page avec ceux de Sarah, Éli et Moshe mais il manquait celui d'Hannah. J'ai tourné et retourné les pages dans tous les sens mais aucune trace de ma nièce. Comment avait-elle pu leur échapper ? Je n'en avais pas la moindre idée mais une chose était sûre, elle n'était pas à Drancy. Avec l'espoir de la sauver, j'ai regagné Paris à la hâte. Juste avant le lever du jour, je me suis introduite dans l'appartement de mon frère, espérant trouver Hannah dans son berceau. Malheureusement, il était vide. Alors j'ai cherché, cherché. Dans les placards, sous les meubles, sur le rebord des fenêtres, j'ai retourné tout l'appartement sans succès. À ce moment-là, une patrouille a fait irruption dans l'immeuble. Terrifiée, j'ai tenté de fuir mais j'ai juste eu le temps d'atteindre le palier que le claquement de bottes résonnait déjà dans l'escalier. Je me suis sentie prise au piège. Chaque marche gravie m'ôtait tout espoir de m'enfuir. Ne pouvant plus descendre, je suis alors montée jusqu'au dernier étage. Une petite lucarne offrait un accès sur les toits : mon unique chance de leur échapper. Je me suis hissée à l'extérieur, j'ai pris soin de coincer la fenêtre pour que personne ne puisse me suivre et me suis allongée. Je ne saurais dire combien de temps je suis restée ainsi, le cœur battant contre les tuiles. Je les entendais hurler des mots que je ne comprenais pas mais dont le ton suffisait à me faire saisir le sens. Des cris ont suivi puis un vacarme terrible s'est élevé dans l'escalier. Enfin j'ai entendu la patrouille redescendre, j'ai attendu encore au moins une heure que tous les véhicules soient loin et que le silence redevienne total pour enfin sortir de ma cachette. C'est à ce moment-là que je l'ai entendue. Son cri était si faible que j'ai d'abord pensé à un chat, mais j'ai vite compris que c'était Hannah. J'ai rampé en direction du cri et je l'ai enfin aperçue. Déposée contre la cheminée, elle gisait enveloppée dans sa belle couverture brodée. Elle était si faible que j'ai eu peur que les longues heures passées sans boire ni manger ne lui fussent fatales. Je l'ai délicatement prise dans mes bras et l'ai ramenée jusque chez moi.

— Comment avez-vous…

— J'étais déboussolée. Jusque-là, je n'avais eu qu'à m'occuper de moi, alors avec un nourrisson… Heureusement David était là. Nous nous fréquentions déjà à ce moment-là et il m'a beaucoup aidée. À cause des dispositifs anti-Juifs de l'époque, il n'avait jamais pratiqué mais avait obtenu haut la main son diplôme de médecin. Les premiers jours, nous étions très inquiets, Hannah était si déshydratée que nous avions peur de ne pouvoir la sauver. Mais à force de soins, d'attention et d'amour, elle a fini par reprendre de belles joues roses.

— Et ensuite ?

— Nous avons réussi à passer en Suisse.

— En Suisse ?

— David était membre actif du 36 rue Amelot. Cette organisation qui faisait passer des Juifs en zone libre avait plusieurs contacts à Genève. C'est chez l'un d'eux, Nicholas, que nous sommes allées.

— Combien de temps y êtes-vous restées ?

— À la Libération, nous avons rejoint David à Paris. Il m'a épousée et nous avons adopté Hannah.

— Est-ce qu'elle le sait ?

— Que nous ne sommes pas ses parents ? Oui, nous ne lui avons rien caché.

— Alors pourquoi ne m'avoir rien dit la première fois que je suis venu ?

Martha marqua une pause sans lâcher Meyer des yeux.

— J'ai eu peur. Hannah a eu une enfance compliquée oscillant entre désir de vengeance et désintérêt. À l'époque où vous êtes venu, elle commençait tout juste à aller mieux. Elle semblait avoir trouvé un équilibre que j'ai craint de briser en lui parlant de votre carnet. Elle savait qui était sa mère. Cela m'a paru suffisant.

— Et maintenant ? demanda Meyer fébrilement.

— Elle vit aux États-Unis depuis plusieurs années et je crois qu'elle y est heureuse.

— Pensez-vous qu'elle accepterait de me rencontrer ?

— Est-ce vraiment utile, monsieur Meyer ?

— Écoutez. Quand j'ai lu ce carnet écrit par votre belle-sœur, je me suis fait le serment de retrouver Hannah pour lui transmettre les derniers mois de la vie de sa mère. C'est un peu de son histoire que je voudrais lui rendre et je pense qu'elle en a besoin. Si hier soir, elle est allée se recueillir devant ce toit où vous l'avez trouvée, c'est certainement pour combler un manque.

— Je… je ne savais qu'elle s'était rendue là-bas, balbutia Martha les larmes aux yeux.

— Vous avez fait tout ce qu'il fallait, madame Wizman, mais maintenant, c'est à elle de décider. Je crois que si Sarah a si longtemps survécu aux atrocités qu'on lui a infligées, c'est uniquement par amour pour sa petite fille qu'elle espérait revoir un jour. Permettez-moi de rendre à Hannah ce qui lui appartient.

— Je vais y réfléchir, monsieur Meyer. Laissez-moi vos coordonnées, je vous ferai part de ma décision.

103

Le 28 avril 1968, Josef Meyer reçut une lettre de Martha Wizman. Hannah serait à Paris début mai et acceptait de le rencontrer. L'Allemand s'empressa de répondre et lui donna rendez-vous le 6 du mois suivant dans un café près de la gare Saint-Lazare.

La veille de son départ, Josef Meyer se sentit fébrile. Dès le réveil, une sorte de boule s'était installée au milieu de ses entrailles. Il relut une dernière fois le carnet de Sarah Lindbergh qu'il remettrait enfin entre les mains d'Hannah avec la photographie de la famille heureuse qu'ils avaient été un court moment de leur vie.

Le lendemain serait l'aboutissement de vingt-cinq années de recherches. Le point final d'une quête désespérée. Que deviendra-t-il ensuite ? Aura-t-il la force de continuer sans but dans cette existence ? Après Paris, ce sera Berlin. Il retournera sur la tombe de Lily et Angela, ses deux amours. Pour leur dire que désormais, elles pourraient être fières de lui. Ensuite, il leur demandera conseil. Le temps de les rejoindre sera-t-il enfin venu ? Après avoir rencontré Hannah, il sera prêt. Enfin prêt pour le grand saut. La délivrance. Rejoindre Angela, Lily, Sarah et tous les autres dans un monde meilleur. Après tant d'années d'errance, l'heure sera enfin venue.

Remerciements

Je remercie mon éditeur, ma correctrice Sophie, mes lecteurs et tous ceux qui, de près ou de loin, ont contribué à la parution de cet ouvrage.

Je remercie également :

Emmanuel, pour son amour et son soutien.

Héloïse, Samuel et Ève, pour leur enthousiasme.

Maya et Robert pour leurs encouragements.

Composition :
Studio Ben – 27 rue du Temple 95100 Argenteuil

Achevé d'imprimer par GGP Media GmbH, Pößneck
en janvier 2016
pour le compte de France Loisirs,
Paris